CW00829323

EL ESPÍA QUE NO SABÍA CONTAR

MICHAEL N. WILTON

Traducido por
KARLOS SAN PEDRO

1

TONTO Y ORGULLOSO DE SERLO

Puede ser de algún consuelo para aquellos que no fueron particularmente brillantes en la escuela, que haya otros en el mismo barco quienes no parecen haber sufrido excesivamente la experiencia. Pero no se esperaba que alguien como Jyp quien tuvo la desgracia de ser educado en la secundaria del condado de Watlington, mostrara ninguna evidencia de producción intelectual. Eran simplemente tontos como tablones y muy orgullosos de ello.

Aunque el director hablaba extensamente sobre la larga y gloriosa historia de Watlington en un abrir y cerrar de ojos y se refería constantemente a la serie de antiguos alumnos famosos que se encontraban en la lista de honor en el Gran Salón, siempre fue reservado con respecto a sus otros antiguos alumnos que ejercieron talentos más inusuales, como robar bancos o vender el Puente de Londres a los confiados turistas estadounidenses.

A pesar de los resultados académicos no inesperadamente bajos de cada año, la escuela obtuvo cierta notoriedad como la peor escuela en el sureste y a los padres les gustaba jactarse de sus años de colegio allí. Lo horrible que había sido y lo que le pasó a ese sinvergüenza, como se llame; que sacó adelante ese robo a un banco y terminó en América del Sur o en algún otro lugar.

Ninguno de ellos admitiría por supuesto, ni siquiera para sí mismos en privado; que la escuela había sido una completa pérdida de tiempo y que las posibilidades de que alguno de ellos avanzara en el mundo o ganara algún tipo de reconocimiento público por sus servicios eran extremadamente remotas. Eso fue antes de que alguien hubiera oído hablar de Jyp.

No es que Jyp tuviera intención de labrarse un nombre por sí mismo. Con un nombre como Jefferson Youll Patbottom, sentía que ya había sido cargado con más que su parte correspondiente de mala suerte —lo que explica que aceptara su apodo tan fácilmente en primer lugar.

La sencilla explicación es que, si bien la mayoría de los demás en su escuela no sabían pensar, Jyp no sabía contar. Nunca había sido capaz y hasta donde él alcanzaba a ver, nunca lo sería. Lo que puede explicar por qué terminó trabajando para la Administración Pública.

Cuando su padre George se enteró, simplemente no pudo contenerse y se rio a carcajadas.

—¿Tú, en la Administración Pública? —exclamó—. Tiene que scr una broma. ¿Qué tipo de trabajo estás haciendo allí?

Jyp se tiró de la nariz con cierta vergüenza —Estadísticas...

—¿Estadísticas? —se atragantó su padre con creciente incredulidad—. ¿De qué tipo? Por el amor de Dios. ¡Ni siquiera saber sumar dos más dos!

—Nacimientos, matrimonios y muertes; ese tipo de cosas.

La noticia resultó demasiado para su padre. Miró alrededor de la habitación esperando que alguien le dijera que no era cierto, luego se desplomó en su silla, resollando de risa. Se balanceaba hacia adelante y hacia atrás, su rostro se puso morado, hasta que parecía que iba a tener una convulsión y por un momento Jyp pensó que tendría que revisar sus estadísticas de mortalidad para Inglaterra y Gales.

—Maud —llamó su padre débilmente por fin, secándose los ojos y dirigiéndose a ciegas a la cocina para buscar una audiencia que supiera apreciar—. Escucha esto, es genial. ¿Sabes lo que ha hecho tu hijo esta vez? Lo han convertido en un funcionario público. Él es en el que confían para decirles cuántas personas hay en el país. Caramba, no sé por qué no le ponen a contar la cantidad de funcionarios públicos que hay. ¡Ya nos llegan hasta las rodillas!

Jyp trató de no escuchar y de mal humor empujó a la gata lejos.

—Tú sí que vives bien, Rosy —gruñó, escuchando una carcajada amortiguada en la otra habitación—. Todo lo que haces es alimentarte todo el día. No tienes que sumar columnas y columnas de frías cifras hasta que se te salen los ojos de las órbitas.

Rosy se estiró lánguidamente y saltó sobre su regazo, exigiendo atención instantánea.

—¡Déjalo ya, Rosy! —Se la quitó de encima de nuevo, preguntándose vagamente por qué su madre no podía poner a sus mascotas nombres que no fueran floridos como cualquier otra persona y mentalmente se propinó una patada por habérsele escapado hablar de su trabajo. Deseó no haberlo mencionado nunca. Con un jugoso chisme como ese para contar, su padre tenía más que suficiente para cuando se encontrara con sus viejos amigos en el *British Legion* y lo sabría todo el pueblo por la mañana.

—¿Por qué tuve que tener un bromista por padre? —le preguntó a la gata—. La mayoría de los padres se van a dormir frente a la tele cuando llegan a casa, pero no nuestro padre. Todo lo que quiere es que yo sea el tipo serio del dúo. ¿Y adivinas quién es ese?

Pero Rosy tenía sus propios problemas y comenzó a lavarse las patas delanteras. Hasta donde Jyp podía recordar, su padre siempre había sido la vida y el alma de la fiesta, decidido a ver el lado divertido de todo. Su madre, bendita sea, era cariñosa y un poco atolondrada a veces, pero tenía mucha paciencia. Igualmente, pensó, ella también tiene mucho que soportar.

Unos minutos más tarde, asomó la cabeza por la puerta y lo miró con simpatía.

—Has ido y lo has hecho ahora, Jyp. No sé qué te ha hecho decirle algo así, ya sabes cómo es.

—Lo siento, mamá —suspiró Jyp—. Debería haber adivinado lo que diría.

Maud le revolvió el pelo. —De todos modos, ¿qué te hizo elegir un trabajo tan divertido como ese? Nunca has sido muy afecto a los números. Ni siquiera las siluetas.

Jyp estaba un poco desconcertado.

—Siempre estabas husmeando por las esquinas, jugando con tus sellos y tus cosas, nunca con chicas.

—Traté de conseguir un trabajo como coleccio-

5

nista de sellos mamá, pero descubrieron que no sabía la diferencia entre un penique y un chelín.

—Pero si ya no usamos esa moneda pasada de moda, tontito —dijo su madre amorosamente—. Ahora son todo céntimos.

Hubo un suspiro cuando Jyp lo intentó de nuevo.

—Lo sé, mamá, pero actualmente no hay muchos trabajos que puedas conseguir sin saber contar —admitió tímidamente—. Pensé que era bueno lavar los platos en el restaurante local, pero cometí tantos errores calculando las roturas que terminé debiéndoles dinero.

—¿Y aquel trabajo como vigilante nocturno en los talleres de reparación de relojes? Para eso no necesitabas contar, ¿verdad?

Jyp hizo una mueca al recordarlo. —No, pero terminé una noche antes de lo que debería haberlo hecho y un iluminado forzó la entrada y desvalijó el lugar. El gerente me dijo que consiguiera una nueva alarma y cuando le pedí que me diera una, en vez de eso me despidió.

Reflexionó sobre la absoluta injusticia de todo.

Su madre parecía perpleja. —¿Cómo conseguiste este trabajo en la Administración Pública entonces?

Jyp respiró hondo. —Bueno, todo comenzó cuando estaba recostado contra una pared tomando mi almuerzo en el Muro de la Muerte y este hombre se acercó...

—¿El Muro de la Muerte? —repitió su madre débilmente—. Eso suena bastante peligroso.

—No —la tranquilizó Jyp—. Simplemente dan vueltas y vueltas dentro de este lugar con forma de cuenco. Es muy fácil, como caerse de un tronco. Bueno, tal vez no exactamente así —permitió—. De todos modos, todo lo que tenía que hacer era ir y señalarles la entrada, de vez en cuando, para que alguien más pudiera tomar las riendas. El único problema fue que un día olvidé decírselo porque me confundí con los tiempos y uno de ellos se cansó y se cayó. Estaba un poco enfadado —recordó reflexivamente.

— ¿Pero por qué tuviste que apoyarte contra la pared para comer tus sándwiches? —preguntó su madre, su mente yéndose por la tangente.

Jeff ignoró su pregunta. —Él se tomó la revancha atándome en la parte delantera de sus manillares cuando hizo su número de nuevo —se estremeció al recordarlo—. Después no pude sentarme durante semanas.

—Pero ¿por qué...?

Una mirada atormentada apareció en la cara de Jyp. — Mira, mamá, ¿por qué no me dejas contar la historia a mi manera, de lo contrario nunca la terminaré?

— Lo siento, Jyp —su madre se recostó obedientemente.

— De todos modos, este hombre del que te estaba hablando —continuó su hijo obstinadamente —, me pidió que sostuviera un trozo de cuerda durante un minuto y nunca regresó. Entonces seguí la cuerda y encontré a alguien en el otro extremo. Estaba tan encantado de que le hubiera hecho dejar de perder el tiempo que me ofreció un trabajo para ayudarlo, haciendo sus entregas por él.

Dudó y al ver a su madre sofocar un bostezo, continuó rápidamente: —Antes de saber dónde estaba, me había perdido. Le pregunté a un policía y descubrió que yo tenía suficientes drogas para iniciar mi propio negocio. El Gran Señor me llamó el sargento. No creo que lo dijera en serio, mamá. Dijo que yo no tenía cerebro para algo tan inteligente y me dejaron ir con una advertencia. De todos modos, me dio una idea y decidí formar un equipo con George, calle abajo, en una agencia de viajes. ¿Me estás siguiendo, mamá?

— ¿Eh? —su madre enderezó de golpe su cabeza con esfuerzo—. Uf, sí, por supuesto.

— Vale. Bueno, lo hicimos tan bien que George decidió que no podía esperar a que un contable calculara nuestras ganancias. Y se fue a las Indias Occidentales con todo el dinero. —Añadió amargamente — Él sí sabía contar.

Su madre asintió en un gesto de simpatía e intentó concentrarse.

—Cuando lo informé a la policía, coincidí con el mismo sargento que me pilló con las drogas y todo lo que dijo fue que era un perdedor en la vida. Tenía toda la razón. Entonces fue cuando intercedió por mí para que me convirtiera en guardián de la prisión. Dijo que me daría un propósito en la vida, ayudar a los demás—. Hizo una pausa. —Esto puede haber ayudado a otros, pero a mí no me ayudó.

Hubo un resoplido ahogado y su madre se despertó. —¿Qué sucedió entonces? —preguntó ella automáticamente.

—Se enfadaron bastante porque me reporté con diez prisioneros después de un viaje a la lavandería un día.

—¿Y qué hay de malo en eso? —su madre sonrió con indulgencia—. No hubo ningún error con tus cálculos esta vez, ¿no?

Jyp resopló. — Él dice que me llevé a quince conmigo.

Su madre se recuperó. —Podría haberle pasado a cualquiera. ¿Fue cuando te uniste a las Guías Femeninas?

—Los hombres no pueden unirse a las Guías Femeninas, mamá —explicó pacientemente—. Ya te lo dije antes. Estuve en una fiesta de disfraces y hubo un… malentendido —se retorció incómodo—. Te lo dije hace mucho tiempo.

—Bueno, no tenían que encerrarte —lo defendió con firmeza—. Desearía haber estado allí, les habría dicho una o dos cosas. De todos modos, ¿qué tiene eso que ver con la Administración Pública?

—Había una chica de la que tomé prestado el vestido para la fiesta de disfraces. Ella me dijo lo de la vacante en su oficina. Se llama Patience.

—Eso está bien —su madre sonrió vagamente—. Una vez tuve un periquito llamado Patience.

—Ella fue muy amable conmigo. Me dijo a dónde ir y qué decir. Nunca hubiera conseguido el trabajo con el viejo Benson sin su ayuda.

—No te preocupes, amor, ahora tienes un trabajo para toda la vida, ya no tendrás que soportar viejos apartamentos. Estás de vuelta a casa adonde perteneces. Mira qué bien, quién hubiera pensado que terminarías en la Administración Pública. ¿Cómo es tu nuevo jefe?

Una mirada nublada pasó por su rostro al pensar en su jefe.

—Supongo que a algunas personas les gusta, pero es un viejo curioso. Eso sí, la mayoría de ellos lo son. Supongo que tiene algo que ver con contar números todo el día. No como Patience. Ella no podría hacer más por mí. No logro entenderlo. Incluso su familia también es amable. Siguen pidiéndome que vaya a cenar. ¿Te acuerdas de la tía Ethel, mamá? ¿La que dijiste que era tan gorda que la confundieron con un globo aerostático en la guerra? Bueno, no llamaría a Patience gorda exactamente, pero ciertamente está rellenita. —Él dudó—. Siempre quiere que la bese, en cuanto llego a la oficina. —Hubo un silencio mientras luchaba con la siguiente pregunta—. Mamá, ¿alguna vez conociste a alguien con bigote? ¿Mamá?

Miró hacia adelante ansioso, esperando consejo, pero su madre estaba profundamente dormida.

Más tarde esa noche, se despertó sudando, cuando la realidad lo invadió. —Todos lo sabrán en el tren mañana. ¿Qué voy a hacer? —gruñó. — ¿Por qué no podría aprender a contar como todo el mundo? — Luego comenzó— Oh, mierda. Ayer olvidé darle esos números al viejo Benson. Me pregunto si puedo conseguir que Patience los haga. Seguro que se queja por ellos, siempre lo hace.

Se revolvió y giró y finalmente se quedó dormido, tratando de contar ovejas y obteniendo un total diferente cada vez. «Uno de estos días —murmuró para sí mismo—, obtendrás un trabajo donde no necesites los números». El único problema era que no se le ocurría ni siquiera uno.

2

DESEOS EXTRAÑOS

Bueno, no debes enfadarte por todo esto, cariño —dijo su madre a la mañana siguiente, preocupándose en exceso por él mientras intentaba irse. Ella enderezó su corbata y le quitó un pelo de gato del hombro—. Estoy segura de que te lo estás imaginando.

Jyp frunció el ceño — No, era un pelo de gato. Acabo de ver cómo lo quitabas.

—Tonto, me refiero a ese tema sobre tu nuevo trabajo. Sabes que tu padre no hablaría de eso con nadie más.

—Oh, ¿sí? ¿Lo estaba imaginando cuando el cartero me entregó el correo de la puerta de al lado esta mañana y dijo que ni siquiera podía leer nuestro número? —dijo Jyp, alisando hacia atrás su cabello rebelde con agitación y saltando nerviosamente al oír tocar la puerta.

—No te preocupes, solo es el lechero. Ella asomó la cabeza. —Ahí está, ¿qué te dije? Hola Jim.

—Buenos días, Señora *Patbottam*. Él sonrió deliberadamente al ver a Jyp.

—Pero Jim, sabes que solo tomamos una, no tres. ¿Qué te pasa esta mañana? No pareces tú en absoluto.

— Lo siento, señora. —Tomó dos botellas de vuelta con una sonrisa—. No a todos se nos da bien contar, ¿verdad? ¡Adiós!

Jyp se estremeció: — ¿Lo ves? Te lo dije, papá bajó al *British Legion* anoche.

Su madre le dio unas palmaditas tranquilizadoras en el brazo —Es solo una tonta coincidencia. Ahora vete a trabajar, de lo contrario llegarás tarde. ¿Qué diría tu jefe entonces?

Aparentemente molesto, Jyp se empujó con fuerza el sombrero. —Probablemente me pregunte por qué me molesto en entrar, como siempre —parecía malhumorado a lo largo del camino—. Ahora no podré mirar a nadie a la cara. Apuesto a que todo el mundo estará con esto en el tren.

—Qué tonterías dices. Supongo que nadie se fijará en ti. Todos estarán demasiado preocupados por alcanzarlo a tiempo. Y si no te das prisa, también tú lo perderás.

—No me importa si lo pierdo —murmuró, saliendo lentamente. Intentó dar una patada a la farola cuando pasó—. Al menos tú no tienes que preocuparte por la hora a la que te tienes que encender, tú ya lo tienes todo hecho.

Cuando giró al acercarse a la estación, escuchó una risita de un grupo que estaba de pie cerca de la entrada. Alguien gritó —¡No olvides volver a poner el reloj mañana! —Y una voz añadió— Mejor que consigas una calculadora.

El tren estaba lleno hasta rebosar como de costumbre. En la aglomeración para subir a bordo, Jyp empujó y empujó con el resto haciendo palanca para entrar. Justo entonces, Jack, el revisor se afanó agitando su bandera, ansioso porque el tren se alejara.

—Dese prisa, entre, señor. —Habló hacia el interior— Ahora avancen, espacio para uno más. Oh, buenos días Señor Jyp, puedo contar con usted para organizarlos, ¿verdad? Ja, ja, ja.

Con su cara atorada en la espalda de una mujer grande y corpulenta vestida de tweed grueso, Jyp apenas pudo ver nada durante la primera mitad del viaje y pasó su tiempo torturándose a sí mismo, preguntándose qué diría la gente a sus espaldas. Cada pequeña risa lo hacía retorcerse hasta que la mujer de enfrente se volvió indignada y le preguntó qué creía que estaba haciendo. Al girarse, envió a los otros pasajeros tambaleándose en todas las direcciones. Afortunadamente en East Croydon, el vagón se vació a la mitad cuando algunos de los tipos de ciudad más atléticos cambiaron de tren y corrieron hacia una conexión con el Puente de Londres.

Inmerso en la tristeza, Jyp se sentó automáticamente en el único asiento que quedaba y dejó a la mujer echando humo. En ese momento, un caballero militar con un traje de raya diplomática se levantó y le ofreció a la mujer fornida su lugar, lanzándole a Jyp una mirada helada antes de intentar leer su periódico mientras se agarraba al portaequipajes. Ajeno a las miradas, Jyp pronto se aburrió y comenzó a leer fragmentos de noticias del periódico que tenía enfrente. Algunos de los artículos eran tan interesantes que le pidió a la persona de enfrente que volviera la página para poder echar otro vistazo, pero el hombre bajó el periódico con un susurro indignado e intercambió miradas indignadas con el caballero militar que todavía luchaba con el movimiento del tren. Cuando el tren se paró en Victoria, Jyp descubrió que tenía el cuello rígido por girar constantemente la cabeza hacia un lado y leer en un ángulo extraño. Siguió masajeándose el cuello mientras buscaba su boleto en el torniquete.

—Gracias, señor —dijo el revisor, mirándolo—.

Oh, Watlington ¿eh? ¿No es ahí donde tienen a ese tipo tan divertido que no sabe contar?

—¿De verdad? —pronunció Jyp imperceptiblemente y pasó tambaleándose.

Mientras se apresuraba a entrar en la oficina, escuchó una voz que gritaba a lo lejos y dejó caer su sombrero lleno de pánico.

—¡*Pratbottam*!

—Oh, Dios mío, es el viejo Benson.

Miró desesperadamente a su alrededor buscando una forma de escapar, pero ya era demasiado tarde. Como olfateando su presencia, el señor Benson salió por una puerta en la que ponía «Jefe de Estadística» y se abalanzó sobre él con una expresión atronadora.

—¿Dónde están los números de las defunciones, *Pratbottam*?

—Uf, están... están en la otra oficina, Señor Benson. Patbottam —corrigió automáticamente.

—Bueno, pues tráelos, Patbottam. Llevo esperándolos desde hace media hora. Deberían haber estado en mi escritorio ayer, como bien sabes.

—Se los traeré enseguida, señor.

—No te molestes, yo iré a buscarlos. De lo contrario, agregaré otro número más: el tuyo. Date prisa, hombre, date prisa. Patbottam —resopló, mientras lo veía salir corriendo—. Tenía razón la primera vez.

Jyp abrió el camino hacia su escritorio, escudriñando la oficina con mirada afligida en busca de Patience, pero su escritorio estaba desocupado. Se estremeció y actuó por inercia, dando la vuelta a sus papeles.

—No están ahí, ¿verdad, *Pratbottam*? o como se llame —proclamó el señor Benson— Bien, eso es todo...

Jyp estaba clavado en el sitio, con la mente congelada, incapaz de pensar en más excusas. Abrió la boca sin emitir ningún sonido, como un pez dorado.

—Bueno, ¿qué tienes que decir? —dijo su torturador con voz atronadora.

—Disculpe, Señor Benson, ¿son estos los números que estaba buscando? —una voz recatada rompió el hechizo y el Señor Benson, que parecía frustrado, se los arrebató.

—Ah, Patience, podría haber adivinado que no me decepcionarías. ¿Por qué no puedes ser como ella, *Pratbottam*? Alguien en quien pueda confiar, todo el tiempo.

—Pero, Señor Benson, yo no los he preparado. —Patience lo miró seriamente.

—¿No? Los dedos del Señor Benson comenzaron a retorcerse, una clara señal de que su presión sanguínea estaba aumentando.

—No —ella sonrió dulcemente—, el señor Patbottam me pidió que se los escribiera ayer, por eso llegan tan tarde. Me temo que todo ha sido culpa mía.

Jyp dejó escapar un estrangulado suspiro de alivio.

El Señor Benson le lanzó una amenazante mirada de sospecha —Oh, ya veo. Bien entonces. Parece que tendré que dejarte ir esta vez— se dio la vuelta a regañadientes—. Procura que no vuelva a suceder o de lo contrario...

Cuando sus pasos se alejaron, Jyp se hundió sin fuerzas en la silla más cercana.

—¿No merezco alguna cosita por ser tan buena? —murmuró Patience, inclinándose sobre él y bloqueando la luz. —Oh, Jyp —gritó apasionadamente, presionando su rostro en su enorme y envolvente seno, dejándolo sin aliento.

Reenfocando la mirada, Jyp sonrió con incertidumbre; —Gracias, muchas gracias, Patience.

Por un momento, Patience permaneció allí rebosante de alegría, luego, con decisión, se acercó andando como un pato a su escritorio y extrajo una bolsa con falsa modestia del cajón inferior.

—Oh, aquí hay una copia de esos números.

—Gracias—. Jyp los metió descuidadamente en

su bolsillo con el aire de un hombre que atravesó una tormenta y se relajó suavemente sin nada que temer de nadie.

Aprovechando la oportunidad, Patience sacó un objeto irreconocible: —Apuesto a que no sabes lo que estoy haciendo, Jefferson querido.

—No, ¿qué pasa, Patience? —preguntó Jyp enderezándose después de la arremetida.

—Estoy tejiendo un poco.

—¡Qué bien!

—¿Sabes lo que va a ser?

—No, sorpréndeme.

Patience lo sostuvo contra sí misma. —Vamos, adivina.

Jyp levantó la vista distraídamente de un libro que estaba leyendo y trató de adivinar desconcertado qué sería la larga prenda de lana sin terminar que ella miraba con amor.

—¿Una bufanda de un aficionado al fútbol?

—No... Piensa en campanas.

—¿Una bufanda con campanas?

Una sonrisa forzada apareció en el rostro de ella. —¿Recuerdas lo que me dijiste en la última fiesta de la oficina, Jefferson querido?

Jyp pensó unos momentos —¿No?

—Fue terriblemente romántico.

—¿Fue cuando vacié el brandy en el ponche del Señor Benson cuando este no miraba?

—No, no te estás concentrando, Jefferson. Era sobre nosotros...

Mientras Jyp seguía en blanco, Patience dejó caer una pista.

—Es un vestido de novia...

—¿Alguien se va a casar? — él parecía estar en una nebulosa.

—Oh, Jefferson. Creo que lo haces a propósito. Eres un viejo bromista. Mira —ella pescó un trozo de papel de la bolsa—. Usé un patrón sacado de «*Tomorrow's Women*». ¿No crees que pegaría con ese traje azul y naranja que llevabas en Nochevieja?

—No creo que pudieras usarlo con mi traje, Patience.

No podía recordar si era el quinto asesinato sobre el que estaba leyendo, pero cuando captó la expresión en los ojos de Patience tuvo una idea de cómo debía haberse sentido la víctima.

—No estaba proponiendo usar yo el traje, querido. Tú sí.

La boca de Jyp se abrió de par en par cuando el significado de su conversación comenzó a golpearlo. Estaba a punto de decirle que era el traje por el que estaba enfermo su perro cuando vio el papel que ella le entregó.

—¿Qué es esto, una especie de formulario? — preguntó él alegremente—. Oh, mira, tienes escritos nuestros nombres. Y han escrito mi nombre correctamente para variar. Levantó la vista, sonriendo nervioso.

—Así es, querido, lo he escrito para nosotros, para que pudiéramos estar preparados en la oficina del registro civil antes de que comiencen las prisas del día festivo.

—¡Mira qué bien! Una oficina del registro civil. Nunca he sido testigo antes. ¿Es alguien que conozcamos?

—Oh, Jefferson, ¿cómo se te ocurre? —sus ojos suaves y húmedos brillaban con indignación y parecía hincharse frente a él con tanta emoción reprimida que un productor le habría dado al instante un papel protagonista en una historia épica de guerra sobre globos barrera. Controlándose a sí misma con un esfuerzo supremo, Patience decidió que el tiempo de indecisión había terminado. Era ahora o nunca.

—Nos vamos a casar la semana que viene, querido —arrulló—. Tú y yo. En el Registro Civil. Me lo propusiste en la fiesta y yo acepté —ella lo agarró cuando él comenzó a deslizarse fuera de la silla con expresión aturdida—. Me llamaste tu pequeña hada, siempre lo recordaré.

—¿Casarnos? —Jyp tartamudeó. Se recuperó por la desesperación—. Ha habido algún error. Y-yo no te llamé hada.

—Lo hiciste, cariño. Oh sí, lo hiciste —ella

habló con firmeza, echándose encima de él con la determinación de un tanque Sherman avanzando sobre las líneas enemigas.

—No, no... —buscó alrededor frenéticamente. Cuando su mirada se posó en la pieza que ella estaba tejiendo, él gritó con un destello de inspiración — Quise decir que *yo* era un hada, no tú. Yo. —se armó de coraje cuando ella se detuvo asombrada—. Ya ves, no soy como otros hombres: yo tengo estos... impulsos extraños. Pierdo completamente el control. Si te interesa saberlo —cerró los ojos y rezó pidiendo ayuda.

—Lo que realmente quería hacer en la fiesta era... bueno... usar tu vestido.

—¿Mi... qué?

Mientras todavía estaba tambaleándose por la conmoción, Jyp se puso de pie y buscó incontroladamente detrás de él la manilla de la puerta.

—No sé cómo decirte esto, pero desde que te conocí, todo lo que he querido ser era... una mujer, como tú. Hizo una mueca de dolor ante el horrible pensamiento que conjuraba y se zambulló por la puerta cuando la boca de Patience se abrió de par en par y sus gritos lo siguieron por el pasillo.

3

SOLO UN PAR DE CIENTOS

Agachado en la oscuridad con los dedos apretando fuertemente sus oídos, Jyp imaginó que aún podía escuchar los gritos resonando por el pasillo. Al minuto siguiente, la puerta se abrió de golpe dejando entrar un rayo de luz brillante, casi cegándolo.

—¡Eh! —bramó una voz—. ¿Qué estás haciendo en el armario de las escobas?

Mirando hacia afuera con miedo, Jyp reconoció la figura barbuda de Ted, el conserje, y suspiró aliviado. Liberó los dedos con dificultad y sacando el pie de un cubo, salió tímidamente.

—Ah, Ted. Parece que la puerta se ha atascado.

Lanzó una mirada febril a lo largo del pasillo y al verlo vacío, se puso a parlotear lo primero que se le ocurrió —Solo estoy buscando algunos números. No es importante, de verdad. No.

—No los encontrarás ahí dentro —se desternilló el viejo conserje—. Escuché a la Señorita Patience organizar una patrulla para ir a buscarte. Poniendo el grito en el cielo estaba.

Jyp se estremeció. —Bien, bien. Debe ser uno de sus días libres, nada serio. Solo... solo no le digas que me has visto, ¿eh, Ted?

—No temas por eso, joven Jyp. Ella estuvo detrás de mí y todo eso hace tiempo.

Admirando el cabello blanco y el cuerpo fibroso del viejo, Jyp le dio unas palmaditas en el hombro huesudo. —Genial, genial, sigue así. Me tengo que ir. —Dio un salto nervioso y comenzó a alejarse cuando apareció un carrito a la vuelta de la esquina, seguido por la señora del té.

Ted sonrió con malicia y lo llamó —Te vi subir a un autobús número nueve, ¿no?

—Creo que me saltaré el té, Ted —decidió Jyp tragando saliva y escapó. Al doblar una curva en el pasillo, divisó a otro grupo de personas en la distancia, se volvió y salió corriendo en dirección opuesta.

—¡Ahí está! —se escuchó un grito y se lanzaron tras él con gritos de júbilo, pensando que tenían a su presa acorralada.

Jyp retrocedió loco de pánico y se lanzó de cabeza a un lado girando y gritando por dentro. Vio a un hombre que entraba por una puerta que estaba más adelante y se lanzó tras él, dejándolo en vilo. Cerrando la puerta de golpe, se recostó contra ella, jadeando.

El hombre, un personaje alto de aspecto militar, se puso de pie con aspecto alterado. Después de alisarse el traje, se sentó detrás de un escritorio y como si viera a Jyp por primera vez, miró su reloj con sorpresa.

—Vaya, llegas un poco temprano, ¿no? El tipo de Recursos Humanos dijo que te habían retenido, confío en que estaban equivocados. Olvídalo—. Luego, tratando de ser más acogedor, hizo un gesto señalando una silla. —Siéntate. Lady Trench llegará en un minuto. Soy el Brigadier Sleuth, por cierto. Lo sé, es un poco tonto tener un nombre así, viendo el tipo de trabajo que hacemos, pero... ah, aquí está, querida señora.

Una formidable figura vestida de tweed hizo su entrada y para su horror, Jyp la recordó como la mujer del tren. —Brigadier —asintió bruscamente y mirando su reloj, se volvió hacia Jyp—. Un tipo aplicado, ¿eh? Bien, bien. Acabemos de una vez, hoy tengo mucho trabajo—. Se acomodó en su asiento, poniéndose lo más cómoda posible con su voluminosa chaqueta y su gruesa falda tipo manta del ejército y miró con incertidumbre a Jyp—. ¿No te he visto antes en alguna parte?

Jyp apresuradamente hizo una mueca para despistarla y escuchó nervioso el ruido que se acercaba desde afuera. En cualquier momento, estarían golpeando la puerta, preguntando si alguien lo había visto. Estaba en tal estado de nervios que se quedó sentado en trance por un momento, casi perdiendo la noción de la conversación, temeroso de lo que podría suceder a continuación.

—¿No? No importa —dijo ella dándose por vencida—. Siga adelante con las cosas técnicas, Brigadier. Seguiré con el tema de recursos humanos más tarde.

El Brigadier se aclaró la garganta —Muy bien. No me andaré por las ramas. Dinos tu nombre, jovencito.

—Patbottom —dijo Jyp automáticamente, girando la cabeza hacia la puerta.

—Oh, de incógnito, ¿eh? ¿Cómo te llaman en el comedor?

Jyp tuvo una visión mental de su padre riéndose a carcajadas y se avergonzó —Esto... Jyp.

—Una pregunta tonta, ¿eh? Muy bien, Jyp, dicho esto. Ya sabes por qué estás aquí. No me andaré por las ramas. Estamos buscando un hombre con la experiencia y los antecedentes adecuados para el trabajo que tenemos en mente. Silencio, silencio y todo eso. Estamos muy exigentes estos días, después de todas las meteduras de pata que hemos tenido en el pasado, ¿eh, Prunella?

Lady Trench asintió expresivamente y se ocupó de su labor, trabajando en lo que parecía un cruce entre un chaleco antibalas y un refugio nuclear móvil. Jyp quedó tan absorto con el espectáculo que se perdió las palabras iniciales del Brigadier.

—...solo los ex-SAS considerados, a menos que tengas un talento muy especial —dijo con voz atronadora—. Queremos ver a un hombre que lo haya visto todo. Que haya pasado por el infierno y haya vuelto, si te parece y que esté acostumbrado a estar bajo fuego. ¿Te suena familiar?

Jyp respondió con sentimiento —Sucede todo el tiempo —se inclinó hacia adelante con confianza—. Ese tal Señor Benson ha estado detrás de mí todo el día, todo porque no tenía sus números.

—¿Benson? —un gesto arrugó la frente del General de Brigada—. ¿Es uno de los nuestros?

—Bueno, él no es uno de los míos —Jyp fue positivo en eso.

—¿De la KGB o de la Mafia?

Recordando el cartel de la puerta de Benson, Jyp se aventuró: —Creo que es JDE.

—Oh, una de las repúblicas separatistas, espero. —Descartando la idea, el Brigadier continuó con entusiasmo—. ¿Qué tipo de números?

—Oh, Muertes y cosas así.

En el silencio electrificado que siguió, Jyp pensó que sería mejor tratar de explicarlo, pero solo logró empeorar las cosas. —El señor Benson dice que he acabado con la mitad de los condados de los alrededores de Londres desde que estuve allí —se rio nervioso—. Está exagerando, por supuesto. Un par de cientos aquí y allá, antes del almuerzo, tal vez. —Al ver su mirada de incredulidad, se apresuró— Errores como ese podrían pasarle a cualquiera. Pero lo corrijo justo antes de irme todas las noches. Y si no lo hago, Patience me echa una mano.

—¿Patience?

Al ver una mirada confusa en la cara de su interrogador, Jyp se puso nervioso.

—Bueno, oficialmente ella no lo hace, ya sabe a lo que me refiero. Solo que últimamente ha sido de gran ayuda cuando el Señor Benson quiere algo deprisa. —Lady Trench respiró hondo y él se tambaleó—. Es por eso que entré justo ahora. Ella ha estado muy... ya sabe... presionada últimamente —se rio nervioso—. Sin embargo, debo haberla molestado. Se enfadó tanto que pensé que me iba a matar. Era ella la que estaba ahí fuera justo ahora.

—¿Matarte? ¡Santo Cielo! Pensé que ella estaba de tu lado —dijo el Brigadier con aspecto aturdido—. ¿Y qué hay de ese tal Benson?

—Oh, él también quiere matarme. Pero no

puede hacerlo —dijo Jyp con alegría, agitando una hoja de papel—. Tengo sus números.

—¿Te importa, viejo amigo? —el Brigadier extendió la mano. Levantó la vista asombrado después de escanear la lista, los ojos se le salían de las órbitas.

—¿Todas estas muertes son tuyas? Parece que son bastantes.

—Oh sí, y esas son solo las de ayer.

—¡Santo cielo! ¿Y no te molesta... todo este asunto de matar?

Jyp reflexionó un minuto, girando en su asiento, tratando de entender lo que significaba la pregunta.

—No veo por qué tendría que molestarme. Después de todo están muertos, ¿no? Todo lo que he hecho ha sido colocarlos en columnas y sumarlos.

—¿De dónde sacas todas estas cifras? Son muchísimos. ¡Parecen más las bajas en el campo de batalla! Espera, espera, son civiles. ¿De dónde vienen, de algún lugar del Extremo Oriente?

—No, de nuestra oficina en el tercer piso.

Jyp retiró el papel de los temblorosos dedos.

—Se supone que no debo mostrarle esto a nadie, ya sabe; son confidenciales.

—Me imagino que lo son. ¡Nunca he visto algo así! Dime, ¿siempre has estado haciendo este tipo de cosas?

Jyp se retorció. —No, una vez conseguí un trabajo en una especie de relojería, pero eso me hizo estallar.

—Oh, bombas de relojería, ¿eh?

—Luego estuve vigilando un concesionario de motos de alta velocidad, pero eso no funcionó. No siempre volvían.

—Ah, como dependiente.

—Lo llamaban el muro de la muerte.

—También debería habérmelo imaginado.

—Y el resto, bueno, prefiero no hablar de ello.

—Ya veo, secreto, ¿eh? Bueno, parece que has tenido una carrera impresionante hasta la fecha, joven Jyp. Parece que no has dado un paso en falso.

Con timidez, Jyp se aventuró —Oh, no iría tan lejos como para decir eso. Solo lo justo. Si me equivocaba, Patience siempre estaba dispuesta a ayudar. Es muy buena persuadiendo a la gente, ¿sabe?

—¿Lo es ahora? —el Brigadier tosió—. Lo que me recuerda. ¿De qué clase de… ejem… persuasión estamos hablando?

Jyp pareció desconcertado por un momento, luego su rostro se aclaró. —Oh, ¿se refiere a esto? Sacó un bolígrafo del bolsillo y lo apuntó hacia el General de Brigada, que se estremeció. —Útiles estos aparatos, ¿no? Mire, cuando presiono aquí, se recarga solo.

—Cuidado hacia donde apunta con eso, joven —gruñó el Brigadier, mientras su compañera, distraída, seguía tejiendo. Se limpió la frente y preguntó fascinado— ¿Qué pasa si se atasca o no funciona?

—Oh, simplemente los borro —dijo Jyp entusiasmado con el tema.

—¿Los borra? ¿Con qué?

Jyp buceó en sus bolsillos. —Lo tengo aquí en alguna parte. Elimina columnas completas de una vez. No sé qué haría sin ella. Ah, aquí está —lanzó una goma de borrar con un gesto amable.

El Brigadier lanzó una mirada petrificada y desapareció debajo de la mesa.

Parando su labor, Lady Trench miró hacia arriba. —¿Ya has terminado? Bien. Mire, joven, no sé nada sobre los tecnicismos del trabajo. Lo único que quiero saber es: ¿Ha ocasionado problemas a alguna joven?

Jyp se incorporó. —La verdad es que no—. Luego, inquieto, al oír pasos fuera —Mejor me voy, creo que ese es el Señor Benson que me busca otra vez.

El Brigadier, revitalizado, se puso de pie y se sacudió un poco avergonzado. —Tonterías, mi querido muchacho. No puedo dejar ir a un joven como tú, así como así. ¿Un par de docenas, dijiste? Palabra, Prunella, lo podríamos hacer con unos pocos más como él, ¿eh?

Ignorando su mirada dudosa, el Brigadier agarró

el hombro de Jyp y sonrió. —Toma, esta es mi tarjeta. ¿Jyp, dijiste? Ve a esa dirección mañana, lo primero. Mientras tanto, te mostraré una salida para que puedas evitar a ese tal Benson. Me aseguraré de que no vuelva a molestarte. Ah, y será mejor que me dejes los detalles de tu dirección antes de irte, solo para mantener contentos a nuestro personal de seguridad. Ah, buen chico, —dijo, guardando en el bolsillo la información.

Satisfecho, desbloqueó una estantería y presionando un botón, abrió una puerta. —Bueno, me alegro de tenerte con nosotros, ejem, Jyp. En estos días tenemos que apoyarnos mutuamente, ¿no? Oye, no nos hemos visto antes, ¿verdad?

Volviendo y frotándose las manos, gritó —¿Qué te parece, eh, Prunella?

Lady Trench resopló: —¿Te das cuenta de que no sabemos nada de ese hombre, Percy? A mí me parece un bicho raro. ¿Te has fijado cómo sus ojos se desviaban cada vez que alguien pasaba por el pasillo?

—Te digo que lo podríamos hacer con unos cuantos bichos raros como él en seguridad —dijo el Brigadier, recostándose con una expresión de satisfacción en su rostro—. Si supieras que Jimbo me dice que su oficina necesita a alguien así. ¡Punto en boca, eh! Sin embargo, tienes toda la razón. Mejor que lo investiguen con seguridad. Ya sabes, lo de siempre —él se emocionó nuevamente—. Me muero por ver la cara del viejo Jimbo cuando se lo cuente. Justo el tipo de hombre que necesitamos para ese nuevo puesto de seguridad que estamos estableciendo en la costa. ¡Uf! ¡Un par de docenas antes del almuerzo! Le gana al tal Bond con un sombrero ladeado, ¿eh?

4

EL TIPO ADECUADO DE PERSONA

Cuando las noticias del último fichaje llegaron al Whitehall, dos altos funcionarios de seguridad analizaron los detalles con creciente satisfacción.

—Oye, Binky, este parece ser el tipo que estábamos buscando.

—Por supuesto. De primera clase, Trevor, amigo; no podría ser mejor. Un par de docenas antes del almuerzo, ¿eh? Ahora sí que estamos consiguiendo algo. Ahora sí que podemos despegar.

—Despegar —repitió el otro obedientemente—. Oye, fue brillante tu idea de establecer ese puesto de seguridad en la costa. Ahora sí que podemos controlar las cosas.

—Gracias, amigo, eso es lo que pensé.

—No, de verdad, ¿qué te hizo pensar en ello?

—La idea simplemente vino a mí: de vez en cuando tengo estos destellos de inspiración

—En serio, ¿quién lo hubiera pensado? Ahora podemos clasificar a los villanos antes de que tengan la oportunidad de ponerse en acción. No me sorprendería que recibieras algún premio especial por esto.

—Muy amable por tu parte, Trevor, amigo. Pero lo justo es lo justo. No podría haberlo hecho sin tu ayuda.

—No pienses en eso, Binky. Estamos juntos en esto, ¿no? ¿Hombro con hombro y todas esas tonterías?

—Y tampoco creas que he olvidado todo tu arduo trabajo, Trevor.

—Qué bueno que lo digas, Binky. Oye, fue mejor que cuando el MI6 nos acorraló en aquella juerga, ¿no? Con todos esos espías apareciendo por todos lados. Pobrecitos, no sé cómo se las arreglaron antes de que llegáramos.

—Bueno, no olvides que para eso estamos aquí: Servicio Público y toda esa movida.

—Ciertamente hemos sido muy civilizados al respecto, ¿eh?

—Bueno, debo decir que todo comienza a salir como esperábamos. Me pregunto cómo se adaptará ese nuevo tipo.

—Si es tan bueno como dice el viejo Sleuth, no tenemos nada de qué preocuparnos.

—Te diré algo, me gustaría estar en su lugar ahora mismo. Me pregunto qué estará pensando.

En ese momento, Jyp estaba en medio de un sueño horrible, imaginando que todavía podía escuchar los agudos gritos de Patience resonando en sus oídos. Al oír la alarma de la mesilla de noche, se enderezó como un rayo y se pasó la mano por la frente, aliviado de que por fin estuviera a salvo de sus garras. Decidió, en ese mismo momento, que lo primero que haría sería buscar la dirección que le había dado el Brigadier y salir de la pesadilla que plagaba su existencia en el pasado —no sabía durante cuántos meses— y de alguna manera comenzar de nuevo.

Agarrando un sándwich de sobra y bebiendo de un trago una taza de café, se puso una chaqueta y salió. Examinando la nota que le dio el Brigadier Sleuth, corrió hacia el tren, hizo transbordo en East Croydon y esperó una conexión con Brighton que se detuviera en la estación más cercana a su destino: ¿cómo se llamaba el lugar? Volvió a consultar la dirección, eso es, Plumpton Green.

Sentándose de nuevo en el vagón, evocó imágenes mentales sobre su destino. Plumpton Green, ese era el lugar por el que siempre se volvían locos los amigos del golf de su padre en el *Legion*. Todavía podía recordar fragmentos de su conversación cada vez que tenía que llevar a su padre a casa hecho un trapo, después de una de sus sesiones de alcohol. «Justo a la orilla del mar, un *green* digno de un rey —decían—, el lugar perfecto para aparcar a la esposa y a los niños en la playa mientras nos vamos directos al club».

Llegando un poco tarde y comprobando la dirección nuevamente con un transeúnte después de abandonar el tren, se rascó la cabeza y llamó a un taxi, preguntándose qué tipo de lugar habrían elegido sus nuevos jefes para una sede que se confundiría con los alrededores. Tan pronto como pagó el taxi y se volvió para inspeccionar su nueva oficina, lo entendió. Se encontró de frente con una tienda con un cartel descolorido que decía «Ropa deportiva» y debajo un cartel en la ventana instando a los compradores: «Consigue el último equipo de golf de Jimbo». Asegurándose de que era el mismo nombre que había mencionado el General de brigada, Jyp abrió la puerta activando una tintineante campanilla en la parte trasera de la tienda.

Después de repetidos tintineos, apareció con su pelo despeinado un joven, ocultando un bostezo.

—Ejem, lo siento. ¿Puedo ayudarle, señor?

Decidido a arriesgarse, con la esperanza de descubrir algo sobre la situación inusual en la que se encontraba, Jyp echó un vistazo a la tienda vacía y

trató de encubrir sus nervios con un enfoque alegre
—¿El negocio no va bien en este momento?

El joven sonrió —Se podría decir eso. ¿Le puedo
ayudar en algo o solo está mirando?

—Ejem... me dieron esta dirección; me dijeron
que preguntara por Jimbo.

—¡Ah! —el tono se volvió reservado—. ¿A quién
debo anunciar?

—Patbottom, Jefferson Patbottom...

El rostro del joven se iluminó en un repentino
reconocimiento —Eh, yo sé quién eres ¡Tú debes
ser Jyp!

Jyp hizo una mueca. —Ah... ejem... sí. ¿Cómo lo
sabes?

Ahora que su identidad estaba desvelada, el
joven se volvió bastante hablador.

—Vamos, nunca lo adivinarás. Pregúntame.

—¿Algún tipo de conexión comercial?

—No, sigue inténtalo de nuevo.

—¿Un amigo de la familia?

—No... Otra vez.

Jyp suspiró, después de retorcerse el cerebro. —
Me rindo.

El joven lo animó triunfante. —Vamos, me estás
tomando el pelo. Apuesto a que lo sabías todo el
tiempo. Mi hermano es tu lechero, ¿qué te parece?

Jyp gimió por dentro y el otro continuó alegremente —Sí lo sé, qué pequeño es el mundo, ¿no?

Nunca pensé que tendríamos por aquí a alguien como tú. Eso sí, aquí tenemos de todo: ¡el último pensaba que era Napoleón! Y luego estaba aquella que sacó un cuchillo en el escenario antes de venir aquí.

—¿Qué pasó con ella? preguntó Jyp, fascinado a pesar de sí mismo.

—Oh, tuvo que renunciar por su vista. Eso sí, ella intentó repetirlo una o dos veces cuando llegó aquí. Dijo que quería seguir practicando. Casi perdimos al cartero por eso —se puso en actitud reflexiva—. Supongo que es algo que tiene que ver con el trabajo. Al final te atrapa, ¿no? Pero, ¿dónde estábamos? —se interrumpió cuando Jyp se agitó inquieto—. Ah, sí, quieres ver al viejo Jimbo —se inclinó confidencialmente—. Si quieres un consejo, hagas lo que hagas, no empieces hablando de golf o nunca oirás hablar más que de ese tema, porque es un excéntrico. —Se enderezó cuando Jyp tosió deliberadamente—. Bueno, vamos allá, sígueme, es arriba en el primer piso, Sala 13. Mejor te indico el camino, por si te lías con los números. Él se rio deliberadamente.

Mientras subían los últimos escalones, él agitó una mano. —Ya hemos llegado, la Sala 13, todo recto —. Indicando el número, bromeó —Mala suerte para algunos, dicen, a ver cómo te va—. Dándole un último consejo, añadió como haciéndole una confidencia: —No te alarmes si te levanta un palo, solo está practicando. Si se te hace muy duro, danos un grito y vendré a rescatarte. Por cierto, mi nombre es Reg, todos me conocen. Espera un momento, solo asomaré la cabeza y veré si no hay moros en la costa.

Mirando por encima de su hombro, Jyp vislumbró la cabeza de una mujer joven girando, sorprendida por su entrada. Reg agitó una mano en un gesto tranquilizador: —Va a ver al jefe, Señorita Julie, el señor Patbottom—. Luego, alzando el pulgar, guiñó un ojo y susurró alentador —Es uno de nosotros— dijo antes de hacer entrar a Jyp.

—Gracias. —Jyp esperó hasta que sus pasos se desvanecieron y se metió en la recepción, al mismo tiempo que miraba con cautela, esperando que el hombre que había venido a ver estuviera más receptivo que el que su nuevo amigo había descrito con tanto lujo de detalles.

La recepcionista lo saludó con la mano, mientras seguía escuchando a alguien con quien hablaba por teléfono. Cuando apresuradamente colgó el auricular, Jyp captó las palabras: «Enviaré el dinero por correo mañana» y la brusca respuesta: «No me parece bien, lo necesito ahora» y la línea se cortó.

—Perdón, ¿cómo dijo que se llamaba? —la recepcionista se puso un poco roja después de colgar el auricular, un poco avergonzada de haber sido sorprendida.

—P-Patbottom —tartamudeó Jyp, repentinamente abrumado ante lo que vio frente a él. Porque el amor había llegado a Jyp cuando menos lo esperaba, después de sus devastadoras experiencias con Patience. Pero esto era real y no tenía palabras.

—Buenos días, señor Patbottom—. Ella le dirigió una sonrisa victoriosa que hizo que sus rodillas se debilitaran. —Voy a ver si el Mayor le está esperando. Quizá quiera tomar asiento mientras pregunto.

Sentado incómodamente en el borde de su asiento, Jyp admiró su figura esbelta cuando se levantó de su escritorio y salió de la habitación y no pudo evitar captar fragmentos de la siguiente conversación que se podía escuchar flotando desde la oficina interior.

—¿Quién has dicho? Qué gracia enviar a ese joven a esta hora de la mañana; con todo lo que hay que hacer, cuando estoy esperando un envío urgente de mensajería y no he terminado mis prácticas de lanzamiento... me refiero a mi informe matutino. Ese condenado Sleuth no tiene consideración. ¿Por qué no le dijo que viniera más tarde, Señorita Diamond?

—Pero señor, el Brigadier Sleuth dijo que era de lo más urgente. Dijo que tenía el hombre perfecto para usted y yo sé que usted estaba tan ansioso por conseguir un sustituto.

—Y lo estaba, es cierto. Maldita sea, aquí está mi llamada. Vaya y siga hablando con él; dele algunas cifras que sumar para mantenerlo ocupado.

Al salir de la oficina y sonriendo alegremente a Jyp, la recepcionista cogió unas hojas de papel del escritorio sin mirarlos y se los ofreció disculpándose. —Le pido disculpas. El Mayor Fanshaw acaba de recibir una llamada inesperada, me temo que aquí sucede a menudo. Dice que no tardará mucho y se preguntaba si usted podría dedicar el tiempo a intentar resolver este pequeño rompecabezas mientras espera. Es solo uno de sus juegos que le gusta probar con la gente.

—Por supuesto, por supuesto —murmuró Jyp, dejando caer inmediatamente los papeles, incapaz de apartar los ojos de aquella visión que tenía frente a él, antes de ayudarla nervioso a reunirlos de nuevo. Echando un vistazo distraídamente a su pulcra figura mientras se agachaba frente a él y luego a los números que bailaban arriba y abajo en las páginas, por fin se lanzó a hablar: —¿Qué... qué es esto?

—Oh, dijo que usted sabría lo que es, acostumbrado a este negocio —dijo distraídamente, con la cabeza inclinada hacia un lado, escuchando. Al escuchar el timbre del teléfono, se disculpó rápidamente y regresó a su escritorio, levantando cuidadosamente el auricular, mientras sonreía alentadoramente al confundido Jyp.

Al escuchar el sonido de la puerta interior abriéndose, rápidamente colgó el teléfono y se afanó con su laptop.

—¿Ah, señor *Pratbottom*? —bramó el Mayor, avanzando hacia Jyp—. Lamento no haberte atendido cuando llegaste, estoy terriblemente ocupado en esta época del año.

Jyp se estiró y volvió a tirar los papeles. —No pasa nada. Encantado de conocerle, Mayor Fanshaw.

El otro se atusó el bigote y tosió dándose importancia —Mayor Fanshaw-Smythe, ¿no lo sabes? La gente siempre se equivoca: es malo para la moral, ya sabes.

Antes de que Jyp pudiera pensar en una respuesta, el Mayor echó un ojo a los números y sonrió: —Ah, te hemos puesto con ese tema, ¿verdad? Pruebas habituales de rutina, ya sabes, solo para ver cómo se desenvuelven los tipos jóvenes como tú—. Echó un vistazo más de cerca a los totales y su sonrisa se congeló. —¿Qué es esto? ¿Cuatro millones? ¿De dónde demonios has sacado eso? ¡Se supone que es mi ronda de golf, no la deuda nacional! ¡Cualquiera pensaría que no sabes contar! —Se rio ante lo absurdo de la idea y luego se puso serio ante la expresión en el rostro de Jyp—. No, esto no funcionará. No podemos aceptar a cualquier recluta que aparezca, ¿verdad? Tenemos ciertos estándares, ¿no, Señorita Diamond? De lo contrario, pareceríamos unos perfectos idiotas, maldita sea —dijo mientras ensayaba una pose con su hierro favorito para estar más cómodo.

—Por supuesto que no —admitió Jyp, tragando saliva.

—Lo sé —el Mayor estalló con un destello de inspiración— Hagamos un recuento rápido y veamos cómo te va con otra cosa: probemos los típicos reflejos mentales, ¿eh? — Dio un codazo a Jyp: —Dime, ¿cuánto suman 49 y 52? Esa fue mi última ronda —agregó con modestia.

—Ejem... ¿150? —Jyp se aventuró sin pensar.

—Dios mío. ¿Cómo has llegado a ese resultado? Piénsalo bien. Probemos algo más sencillo. ¿Qué tal cinco más seis?

Al ver su rostro angustiado, la secretaria levantó dos dedos por detrás de la espalda del Mayor.

—¿Dos? —estimó sin mucha convicción.

—¿Qué? —la cara del Mayor comenzaba a ponerse morada—. ¿Estás segura de que han enviado al hombre correcto, Julie?

Al fondo, la recepcionista apresuradamente levantó dos dedos cruzados y agregó uno aparte.

Jyp tragó saliva y lo intentó de nuevo —¿Once?

—Uf, maldita sea, diría que sí. A ver ahora —

evaluándolo—, vamos a ver de qué pasta estás hecho. Levántate... no, ven aquí —dijo al ver que Jyp se movía instintivamente más cerca de la secretaria.

El Mayor miró a Jyp de arriba a abajo. —Ponte recto, hombre. A ver, sujeta esto —dándole su palo de golf—. Vamos a ver cómo preparas el *tee*.

—Ya he bebido algo, gracias —dijo Jyp, confundido.

—Me refiero a cómo te diriges a la pelota —ordenó el Mayor con impaciencia.

—¿Hola? —intentó Jyp, completamente perdido.

La recepcionista sofocó una risita en el fondo y rápidamente la convirtió en tos.

—No, maldita sea, ven aquí y ponte derecho. Eso está mejor —dijo a regañadientes— Tu postura no es mala, podría ser mejor. Bien, veamos cómo lo haces.

Ante la falta de reacción de Jyp, el Mayor lo relevó. —No, no, no. Mírame y mira cómo se hace —se apoderó del palo y retrocedió—. ¿Lo ves? Así es como te colocas. Pon la postura correcta. Sostén el palo así, con la cabeza tiesa, no balancees tu cuerpo y no quites la vista de la pelota y no podrás equivocarte. Ahora te toca a ti.

Observó a Jyp con mirada crítica y sacudió la cabeza. —Bueno, no todos podemos ser buenos en esto de inmediato, supongo. Lástima... Bueno, ¿y cuál era la razón por la que has venido? Se me ha olvidado.

La Señorita Diamond tosió y discretamente, le dijo en voz baja —El señor Patbottom está aquí por la vacante, Mayor.

—Ah, sí, tendría que haberte puesto al día, Patbottom, ¿verdad? Se trata de... —buscó las palabras correctas mientras movía el palo de golf—. Esto... Deja que te lo explique. Somos un pequeño y entregado organismo que vela por la seguridad para ver que solo ingrese el tipo correcto de persona. Lo que no queremos son esos patanes que piensan que tienen todo el derecho de estar aquí, como... —agitó los brazos—, como esos idiotas que lanzan chapuceramente por todas partes y pierden sus golpes y rompen sus palos y se alejan pensando que son los dueños del lugar —se enderezó indignado—. Sobre mi cadáver, digo. Lucharé para mantenerlos lejos. —Para terminar, se fijó en el desconcierto de Jyp—. Lo siento, me he dejado llevar. ¿Por dónde iba?

—Estaba a punto de decirle al señor Patbottom lo que se espera que haga —le recordó gentilmente su secretaria.

—Ah sí, bueno, mira *Pratbottom*, no esperamos que hagas demasiado para empezar, solo algunas tareas simples para ayudarte a tener una primera idea, por así decirlo. Vuelve mañana y la Señorita Diamond aquí presente te pondrá al corriente y te explicará el curso. Aquí llevamos una operación bien organizada *Pratbottom*, no lo olvides, la vida de los hombres puede depender de ello. Estate aquí a las nueve en punto de la mañana... lo que me recuerda... —miró su reloj—, que ya llego tarde a mi ronda, quiero decir, a mi cita —se giró hacia su secretaria—. Lo dejaré en tus buenas manos, Julie, así que si me disculpáis...

Cuando la puerta se cerró detrás de él, la secretaria miró a Jyp disculpándose —Debes pensar que estamos un poco locos.

—No, no —le aseguró Jyp rápidamente y miró su reloj, dudando—. Supongo que es un poco temprano, de lo contrario me encantaría... Quiero decir, no sé si te gustaría tomar algo para almorzar o algo así.

Apiadándose de él, la recepcionista sonrió con simpatía. —Bueno, es un poco pronto. Solo iba a tomarme un sándwich para el receso, pero si insistes.

—Oh sí, por favor —dijo ansiosamente antes de que ella pudiera cambiar de opinión—. ¿Hay algún lugar por aquí?

Ella se rio por su expresión y la cadencia de su voz lo convenció más que nunca de que finalmente había encontrado a su verdadera compañera en la vida.

—Hay un pequeño café a la vuelta de la esquina; no es nada especial, pero allí me conocen. —

Ella se disculpó— Lo siento, no me he presentado, ¿verdad? Soy la Señorita Diamond, pero llámame Julie.

—Julie —repitió Jyp, saboreando el nombre y viéndola soltar una mirada de expectación—. Todos me llaman Jyp.

—Hola, Jyp. —Luego, un poco avergonzada por su mirada de devoción, ella tomó su bolso.

—Entonces, ¿vamos hacia allí?

Recuperando su voz con esfuerzo, Jyp tartamudeó: —Vale, vamos.

Una vez acomodados y sintiéndose reforzado por una humeante taza de café después de comer una deliciosa ensalada de quiche, Jyp aprovechó el extraño comportamiento del Mayor como una excusa para descubrir un poco más sobre su compañera. —¿Siempre es así? —se aventuró con optimismo.

Mirando a su alrededor para asegurarse de que no les escuchaban, Julie corrió el riesgo —Me temo que sí. Nunca me he encontrado con alguien tan enamorado de ese juego. Pero mi padre me advirtió de que tienes que estar un poco loco para ser el primero en el golf, y él debía saberlo.

Al darse cuenta de sus dudas, Jyp tiró del hilo: —¿Por qué? ¿Se dedica al mismo negocio?

—Ya está retirado. —Echó un segundo vistazo alrededor y susurró— Estaba en un Departamento Especial —como si eso lo explicara todo.

Ligeramente confuso, Jyp se quedó dándole vueltas. —¿Te refieres a algún departamento de la policía?

—Estaba metido en seguridad.

Una luz brilló en la mente de Jyp. —¿Por eso estabas escuchando por teléfono?

Ligeramente avergonzada, Julie se defendió —Yo solo fui reclutada temporalmente cuando empecé, pero cuando le conté a papá algunas de las cosas que sucedían en la oficina, me convenció de que me quedara y me pidió que mantuviera los ojos abiertos y le informara sobre cualquier cosa inusual.

Anticipándose a su próxima pregunta no formulada, ella dijo apresuradamente —Él todavía está en contacto con personas que están en el ajo. De todos modos —sacudió la cabeza y cambió de conversación, riendo—, eso es suficiente sobre mí. Y tú, ¿cómo te metiste en esto? Si no es una pregunta grosera. Parece que has llevado una vida emocionante hasta ahora, por lo que he oído hablar.

Vacilante, temeroso de hacer el ridículo, pensando en su historial anterior, vio una expresión de simpatía amistosa en su rostro y decidió decir la verdad. —Realmente no sé cómo sucedió todo —comenzó y a partir de ahí todo salió de corrido.

Hacia la mitad de su charla, Julie se metió una servilleta en la boca para evitar desmoronarse por un ataque de risa y finalmente después de un esfuerzo supremo logró reponerse. —Y esa amiga tuya, Patience, ¿todavía está detrás de ti?

—¿Dónde? —se dio la vuelta lleno de pánico, malinterpretando su comentario.

Ocultando una sonrisa, Julie extendió la mano y trató de calmarlo. —No me refiero a ahora. ¿Todavía intenta ponerse en contacto contigo? ¿Sabe dónde estás?

Se limpió la frente. —No, si puedo evitarlo. Por eso he pegado un salto al oírlo. —Reflexivo dijo— Podría dejarme barba, supongo.

—No creo que te quedara bien —decidió con cara seria—. Solo tendremos que asegurarnos de que ella no lo sepa, se lo advertiré a Reg. Es un buen amigo si te quedas atascado o algo así.

Siguiendo su línea de pensamiento, Jyp reclamó —De todos modos, ¿qué se supone que debo hacer? No sé nada de seguridad. Ese tipo, Sleuth, se equivocó: cree que soy una especie de supercazador de espías.

—No te preocupes, Reg te enseñará. Simplemente estate aquí mañana a las nueve en punto como dijo el Mayor y te inscribiremos en el "curso inicial".

—¿El curso inicial? —repitió Jyp—. ¿Qué demonios es eso?

—Es una especie de introducción para principiantes: todos tienen que hacerlo. Ya verás, no hay nada de qué preocuparse. Ahora sí —consultó su reloj—, debo regresar, de lo contrario el Mayor me perseguirá.

—Pero espera, no entiendo. ¿Qué quieres decir con el curso inicial...?

Cuando ella abrió la boca para hablar, entró un hombre con una gorra que le cubría los ojos y se sentó detrás de ellos.

Al verlo, Julie se quedó helada. —Te lo cuento después —murmuró ella. Luego, con una voz anormalmente fuerte, exclamó—: Bueno, debo regresar, tengo mucho que hacer. Te veo por la mañana.

Jyp se quedó allí sentado un rato reflexionando sobre las palabras de Julie, preguntándose quién era aquel hombre y qué pasaría si seguía el ejemplo de Julie. ¿Le seguirían? Decidido a ponerlo a prueba, comenzó a levantarse a medias y vio al otro hombre doblando su periódico y buscando en su bolsillo algunas monedas que dejar en la mesa. ¡Joder! Jyp volvió a hundirse nervioso, decidido a quedarse en el banquillo. Mientras valoraba cuál sería su próximo paso, la camarera decidió por él. Ansiosa por despejar la mesa, se afanó ruidosamente a recoger los platos vacíos de la mesa, preguntando intencionadamente: —¿Otra taza, querido?

—¿Eh? —Jyp volvió en sí sobresaltado.

La camarera consultó su reloj. —Es que estamos esperando una gran fiesta ahora, así que si no te importa.

—Ejem, no, por supuesto que no... sí, debo irme. —Levantándose de mala gana, la llamó inspirado por un pensamiento repentino—¿Hay cerca de aquí una parada de autobús?

—Sí, querido, calle abajo a la derecha, no tiene pérdida.

Satisfecho de que escuchara el comentario, Jyp paseó por el camino, deteniéndose un momento para mirar por la ventana de una tienda para ver si lo seguían. Mientras esperaba que el hombre fingiera agacharse y abrocharse los cordones de los zapatos, Jyp aprovechó la oportunidad y se subió a un autobús mientras reducía la velocidad en la siguiente esquina, dejando a su perseguidor parando desesperadamente un taxi.

En la siguiente parada, al ver que la costa estaba despejada, Jyp saltó del autobús y se dirigió a la cabina telefónica más cercana. Levantando el cuello de su camisa, Jyp llamó a casa, rezando para que su madre estuviera allí y no fuera, en una de sus partidas de *bridge*.

—Hola, ¿quién es? —La pilló en medio de un

bostezo— ¿Eres tú, cariño? Estoy tan contenta de que hayas llamado. ¿Dónde estás?

—Eso no importa, mamá. ¿Ha preguntado alguien por mí?

—Es curioso que preguntes eso, cariño. Cuando has llamado hace un momento, pensé que era esa amiga tuya. ¿Cómo se llamaba? Sí, esa chica tan agradable, Patience. Siempre hablando de ti, sí.

El teléfono tembló en sus manos. —¿No le habrás dicho dónde estoy?

Hubo una risa curiosa al otro lado. —Le dije que pensaba que estarías en la oficina, tonto, donde siempre estás. Estaba terriblemente preocupada, no te ha visto en todo el día.

—Escucha, no le digas que he llamado, por lo que más quieras —dijo con urgencia—. Voy a casa, pero ni una palabra a nadie. ¿Me lo prometes?

—Claro, tonto. Ah, dejó un mensaje, algo sobre unos números que buscaba; muertes y ese tipo de cosas. Dijo que tú lo entenderías.

Jyp se estremeció. —Pronto será la mía, a este ritmo. Escucha, mamá, deja la puerta de atrás abierta para que nadie me vea volver a casa. No puedo explicarlo ahora, tengo que escaparme durante unos días. Te contaré todo cuando te vea. Mientras tanto, ni una palabra a nadie.

—No estás metido en líos, ¿verdad, cariño?

—No, no; nada de eso —miró a su alrededor nervioso—. Tengo un nuevo trabajo, es confidencial.

—Nada peligroso, ¿no? ¿No será como ese paseo por el «muro de la muerte» del que me hablaste?

Jyp bajó la voz. —No, es de seguridad física, no puedo decir nada más ahora.

—Oh, ejem... espera a que se lo cuente a tu padre, él querrá saberlo todo.

Reprimiendo un grito interno, Jyp casi dejó caer el teléfono. —No, no, por lo que más quieras, no se lo digas a papá. Estará en el *British Legion* antes de que yo llegue allí. Escucha, mamá —tragó saliva—, simplemente mete algunas cosas en una bolsa, ya sabes, la típica ropa para la oficina: pantalones, chalecos y una camisa simplemente para salir del paso. Volveré tan pronto como pueda para recogerlos.

—Ya sé, te pondré tu traje nuevo, ya sabes, el que ibas a llevar puesto en aquella fiesta de disfraces. Era tremendamente elegante, me acuerdo de que todo el mundo hablaba de él.

—¡No, ese no! —Jyp se estremeció—. Nunca he superado aquella vergüenza.

—Pero Jyp... —Al sonido de los golpes en la ventana, Jyp se alarmó al ver una pequeña fila que se acumulaba afuera.

—No puedo seguir ahora mamá, hay gente esperando. Te veo luego.

—Oh querido; se me olvidaba decirte, amor, que

ayer tuvimos un accidente con la lavadora. Las cosas salieron de todo tipo de colores divertidos.

—No importa mamá, solo encuentra algo.

Ya sé —insistió su madre—, todavía tengo esos pantalones de Mickey Mouse que usaste en esa salida a Disneyland. Ya sabes, los que chirriaban cuando te sentabas. ¡Qué gracioso fue aquello! Tu padre estuvo desternillándose durante semanas.

Jyp ya había tenido suficiente. —Debo irme mamá, adiós. —Apresuradamente colgó el teléfono y se dio la vuelta, casi esperando ver a su perseguidor afuera, esperando para abalanzarse sobre él. En cambio, había una mujer furiosa que señalaba su reloj. Farfullando una disculpa, escapó de ella y de la fila allí reunida y se apresuró camino abajo, levantando el cuello de su camisa y dirigiéndose a la estación más cercana.

5

EN EL MISMO JUEGO

Deslizándose silenciosamente por la puerta trasera con la esperanza de recoger su bolsa sin ser visto, Jyp no se había percatado de un obstáculo imprevisto en sus planes: Rosy, la gata. Al ver la bolsa que su madre tenía preparada, se dirigió directamente hacia ella. Tan pronto como comenzó a levantar la bolsa terriblemente cargada de la mesa y se giró para escapar, se produjo la catástrofe. En ese momento, la gata decidió darle la bienvenida a casa enroscándose alrededor de su tobillo, con desafortunadas consecuencias.

El estruendo resultante, cuando buscó dónde apoyarse y solo logró tirar de una hilera de cacerolas de la balda cercana —estruendo que en cualquier otro momento podría haberse confundido con un avión que pasaba por encima—, fue suficiente para alertar a su madre que dormitaba en el cuarto de estar, esperando su regreso.

—¿Hola? ¿Eres tú, querido?

Levantándose con dificultad y quitándose el colador de té del pelo, gritó apresuradamente: —Ya me voy mamá, no puedo parar—. Trató de recoger su bolsa y se tambaleó unos pasos antes de detenerse.

—No está bien, no puedo manejar este peso —se quejó, mientras comenzaba a sacar algunas cosas —. Mamá, ¿qué demonios voy a hacer con esto? No me voy a escalar montañas, quiero decir —apeló, sosteniendo con incredulidad un abrigo con capucha.

—No creas, nunca sabes cuándo podrías necesitarlo, querido —dijo, apareciendo en la puerta—. Podrías sentir frío y entonces ¿qué harías?

—Es más probable que sufra un ataque al corazón llevando esta carga. —A pesar de las protestas de su madre, buscó en la bolsa y seleccionó las cosas más esenciales, dejando el resto sobre la mesa—. Ya, esto es todo lo que necesito. Bueno, me voy —y se dirigió hacia la puerta.

—¡Espera! No puedes irte así —protestó ella—. ¿Dónde vas a quedarte? ¿Cómo voy a ponerme en contacto contigo?

—Ah —se detuvo, indeciso—. Me hospedaré en algún sitio, no te preocupes. Te lo haré saber.

—Ya sé, ¿por qué no se me ha ocurrido antes? — sonrió—. ¿Qué te parece tu tía Cis?

—¿Qué pasa con ella? —preguntó de manera poco convincente, con la mano en la puerta.

—Siempre nos está ofreciendo quedarnos con ella si alguna vez tenemos algún problema. Por eso le encantaría tenerte en casa. Espera, le voy a llamar.

—¿Tengo que hacerlo?

—No se hable más. No puedo tenerte deambulando por ahí por el campo buscando alojamiento, querido. Ella nunca nos lo perdonaría —gruñó mientras marcaba el número de su hermana—. ¿Hola? ¿Eres tú, Cis? ¿Puedes acoger a Jyp durante unos días? —y procedió a sentarse para tener una larga y acogedora conversación.

—Madre —él movía los pies con impaciencia.

—Aquí tienes, cariño —le entregó el teléfono—. La tía Cis quiere que sepas cómo llegar hasta allí.

—Oh, está bien —se quejó y dejando la bolsa a regañadientes tomó el auricular—. Hola, ¿tía Cis? Soy Jyp.

Mientras estaba ocupado, su madre cruzó de puntillas la habitación y recogió lo que ella decidió que serían cosas esenciales, guardándolas de nuevo en su bolsa con una sonrisa de triunfo. —Así está mejor.

No fue hasta bien entrada la tarde cuando Jyp se detuvo cansado frente a una hilera de casas adosadas cerca de Plumpton Green y dejó su bolsa en el suelo con un suspiro de alivio. —Ah, debe ser esta. —Mientras consultaba la nota garabateada que su madre le había dado para asegurarse, la puerta se abrió de golpe y salió una maleta volando, seguida de un cuerpo despatarrado que se derrumbó a sus pies. Cuando levantó la vista, una mujer indignada apareció en la parte superior de los escalones blandiendo una escoba gritando— ¡Y ni se te ocurra volver!

Cuando el hombre se puso de pie tímidamente y se escabulló, Jyp reconoció que la señora en cuestión era su tía Cicely.

—Hola, tía Cis —gritó nervioso—. ¡Soy yo, Jefferson!

Su tía bajó los escalones aún con mirada beligerante. Temiendo un asalto repentino, Jyp retrocedió inseguro mientras ella levantaba los brazos.

—¿Eres Jyp?

Aliviado al ver que ya no empuñaba su escoba, Jeff dejó que lo acogiera en sus brazos y le diera un intenso y enorme beso. —Ven aquí y saluda a tu pobre tía. Vaya, no te he visto en mucho tiempo. Sé que estás buscando una habitación para unos días; eres más que bienvenido, querido.

—¿Estás segura de que no es demasiado problema? —preguntó, señalando a la figura que se alejaba.

—¡Oh, él! —resopló—. Hace meses que no paga el alquiler y espera que le proporcione comida gratis constantemente. Cualquiera pensaría que esta es una casa de beneficencia —añadió con remordimiento—. Tengo que pensar en mis gastos fijos.

—¿Eso significa que tienes espacio para uno más? —preguntó esperanzado.

—No se me ocurriría cobrarte ni en sueños, ¡tú eres familia! Entra. Oh, hola Dave.

—Su comentario se dirigía a un policía que apareció detrás de ellos, tocándose el casco—. Buenos días, señora Green. He oído que tiene problemas con un inquilino —dirigiendo a Jyp una mirada de evaluación.

La tía Cicely sonrió. —Este es mi sobrino Jefferson, Dave. Jyp, saluda a mi amigo Dave. Debería decir Sargento Ferris. —Jyp saludó con un gesto amable. Para explicar la presencia de Jyp, la tía Cis continuó— Se quedará conmigo unos días. No, ese otro se ha ido, gracias a Dios. Me debía el alquiler desde hace mucho tiempo. ¡Qué alivio!

—Ah bueno, seguiré mi camino, señora. Solo quería comprobarlo —él dudó—. Le diré algo confidencial, si me lo permite. Entre usted y yo, tengo a un nuevo jefe pisándome los talones, así que no vaya usted persiguiendo a muchos inquilinos más con esa escoba para divertirse, porque seguramente me culpará de ello. Solo está buscando una excusa para echarme la bronca.

—¿Y quién es ese, Dave?

Echando un rápido vistazo detrás de él, el sargento Ferris susurró —Clamidia.

—Lo siento, a veces también me ocurre a mí. Tendré que dejarte mi última medicina. Funciona de maravilla.

—No, se llama así. Inspector Clamidia.

Tía Cis se atragantó en una carcajada. —Estás bromeando. Bueno, el nombre le queda. Adiós, Dave.

—Es un buen tipo este Dave —ella le ofreció un alegre gesto de despedida—. Bueno, ¿en qué estaría yo pensando? Entra Jyp y te acomodaré y puedes contarme todas tus noticias.

Mientras tomaban una taza de té, Jyp habló en tono reservado sobre su nuevo trabajo y se describió vacilante como «una especie de funcionario». Habló vagamente de la seguridad física involucrada, luego dudó; preguntándose cómo decirlo.

Para su sorpresa, su tía le toqueteó juguetona. —No tienes que decirme más; lo sé, estás trabajando para esa agencia de espías a la vuelta de la esquina, ¿verdad? —Al ver su confusión, ella le explicó— Mi limpiadora, Elsie, trabaja allí los lunes; deberías escuchar algunas de las cosas tan divertidas que suceden allí, ella siempre me lo cuenta.

Compadeciéndose de su confusión, ella se echó a reír. —No te preocupes, lo sé todo sobre ese negocio. Yo me dediqué al mismo juego durante un tiempo, así que lo sé todo sobre seguridad física.

—¿Eh?

Ignorando su reacción de sorpresa, ella se levantó enérgicamente. —No activamente, a ver si me entiendes, pero lo suficiente como para saber lo que estaba pasando—. Al ver que se quedó en blanco, ella continuó jovialmente —Todos tenemos nuestros pequeños secretos, si tú supieras... De todos modos, ya he dicho suficiente, bebe y te mostraré tu habitación. No lo olvides —le llamó por encima del hombro—, si quieres confiarme algo en cualquier momento, no te preocupes. No saldrá de estas cuatro paredes.

Mientras se iba durmiendo, Jyp intentó asimilar las novedades sobre su tía y no pudo evitar reírse para sus adentros, imaginándose la expresión en el rostro de su padre si alguna vez se enteraba.

Se despertó temprano a la mañana siguiente después de un sueño reparador, ansioso por comenzar su nuevo trabajo y aliviado de tener una aliada a mano en caso de una emergencia. Estudió a su tía encubiertamente durante el desayuno, secretamente impresionado por sus inesperadas revelaciones y con la intención de aprender más sobre su misterioso pasado cuando surgiera la oportunidad.

Deshaciendo su maleta después del desayuno, contempló la ropa con dudas, escogiendo las prendas que parecían menos llamativas. Se vistió con ellas de mala gana, prometiéndose a sí mismo ir a buscar un traje decente tan pronto como pudiera permitírselo.

Debido a la proximidad de su oficina, pudo presentarse en la entrada del establecimiento justo a tiempo para comenzar a trabajar precisamente a las nueve en punto.

Cuando entró en la oficina, Julie levantó la vista de su escritorio con una cálida sonrisa. —¿Listo para el curso inicial?

—¿En qué consiste? —preguntó ansioso—. Nada que ver con niños, ¿verdad? —Al ver su sonrisa divertida, confesó— Nunca fui bueno en la escuela, los maestros pensaban que no merecía la pena.

Recordando sus esfuerzos para sumar, Julie sonrió para sus adentros. —No, nada de eso. Es bastante simple en realidad. Todo lo que tienes que hacer es dejar un mensaje en la cabina telefónica para que un agente lo recoja, es solo un ejercicio para acostumbrarse a la rutina, si se te pide que lo hagas.

—Ah —dijo Jyp con cautela—. Suena sencillo. ¿Cuándo empiezo?

—Cuando entre el Mayor—. Ella se inclinó hacia delante confidencialmente—. Se supone que no debemos saber esto, pero en este momento está haciendo una ronda en el campo de golf. Pronto volverá. Ah, parece que es él.

¡Crash! La puerta se abrió de golpe y el mayor apareció con aspecto nervioso. —¿Ha preguntado alguien por mí?

A pesar de tranquilizarlo, el Mayor Fanshaw dejó caer su maletín y pasó corriendo diciendo por encima del hombro —Ya estoy aquí, si alguien quiere saberlo; simplemente que esperen un minuto, tengo algo importante que hacer.

—Bien, eso significa media hora practicando sus tiros en la papelera. —Ella se levantó resignada—. Supongo que quiere que yo haga los honores. Espera aquí mientras voy a tomar el mensaje, no sé qué ha hecho con él. Está por aquí en alguna parte... oh, vaya, otra vez el teléfono. Hazme un favor, ¿quieres? Echa un vistazo vale, mientras contesto el teléfono. Debe estar en el casillero trece, igual que el número de nuestra oficina. Probablemente lo ha dejado caer allí en alguna parte. Está tan distraído últimamente... ¿Hola? *Modern Sportswear* Limitada. ¿Quién es?

Mientras ella se inclinaba sobre el escritorio

para escuchar, Jyp buscó obediente en todos los casilleros, contando a medida que avanzaba y rascándose la cabeza cada vez que llegaba a un número diferente, hasta que accidentalmente dio una patada al maletín, tirando un paquete que este contenía. Jyp lo cogió e hizo a un gesto a Julie, gesticulando con la boca: —¡Lo tengo!

Con una mano sobre el auricular, Julie levantó la vista y sonrió brevemente. —Es la cabina telefónica carretera arriba, no tiene pérdida. Simplemente déjalo dentro y alguien lo recogerá, buena suerte.

Echando a andar por la carretera, vio la cabina telefónica y después de comprobar que la costa estaba despejada, dejó caer el paquete dentro y se estaba retirando cuando una mano cayó sobre su hombro y volviéndose se encontró cara a cara con Dave, el amable sargento.

—Me alegro de volver a verlo, señor —miró más allá de Jyp hacia la cabina telefónica—. ¿Eso es suyo?

—No, no —espetó Jyp instintivamente—. Yo... ejem...

—Parece que alguien lo dejó ahí por error. No, no se moleste señor, lo tomo yo. Para eso paga usted sus impuestos.

—Pero... —comenzó Jyp.

Justo mientras hablaba, un hombre dio la vuelta

a la esquina en dirección a la cabina del teléfono y al ver al policía comenzó a girarse y se marchó.

—Espera —gritó Jyp automáticamente—, has olvidado el mensaje. —Y metiéndose en la cabina telefónica lo agarró y corrió tras él, apretándolo en sus manos reticentes.

Sin saber qué hacer, el hombre decidió salir corriendo. Al ver al hombre escapar sin una explicación, el sargento lo llamó: —¡Eh! ¡Espere un momento!

Al chocar con una pareja que daba la vuelta a la esquina, el hombre en cuestión comenzó a entrar en pánico y sacando una pistola les apuntó. —¡Aléjate!

—¡Caramba! —jadeó el sargento—. Sacando su silbato, buscó su móvil.

Entonces todo pareció suceder al mismo tiempo. El joven que venía hacia ellos vio el arma y aprovechando la situación, empujó a un lado a su compañero e hizo un incómodo intento de agarrar el arma.

—¡Sujételo, señor! —gritó el sargento—. No deje que se escape.

Al ver que el juego había terminado, el pistolero no esperó para ver qué pasaba. Retorciéndose para liberarse, dejó caer el paquete en su apuro por escapar y salió corriendo calle abajo.

Privado de su sospechoso, el sargento dirigió su atención a lo que quedaba. —Muy bien —dijo retrocediendo—, veamos por qué tanto alboroto. —

Cogió el paquete y lo examinó—. ¿Qué tenemos aquí? —se giró hacia Jyp—. Deme su mano señor, aquí está pasando algo raro.

Pero Jyp se había ido.

De vuelta en la oficina, el comandante estaba cada vez más inquieto. Se volvió hacia Julie, echando humo. —¿A dónde diablos ha ido ese hombre? Está a la vuelta de la esquina y se ha ido hace casi media hora. Podría haber terminado una ronda de golf en ese tiempo. Bueno, no puedo perder el tiempo aquí de pie —miró su reloj—. Estoy esperando una llamada importante en cualquier momento, Julie. Pásemela a mi oficina y procure que no me molesten.

—Muy bien, señor.

Sin embargo, cuando entró la llamada no era la que esperaba.

Produjo un grito de sobresalto en Julie que se lanzó corriendo hasta la puerta del Mayor, donde ella ignoró el letrero y llamó sin ceremonia.

Después de unos momentos, la puerta se abrió abruptamente y apareció la cara furiosa del Mayor Fanshaw. —Creo que te dije... —comenzó y al ver la expresión en el rostro de su secretaria, espetó— Bueno, ¿qué pasa?

Ella tragó saliva. —Es la Brigada Especial, señor. Insisten en hablar con usted. Algo sobre un paquete que han encontrado.

—¿Un paquete? ¿Qué paquete?

—Dicen que lo encontraron en una cabina telefónica, donde enviaron a Jefferson en su curso de iniciación.

Al escuchar el nombre de Jyp, el Mayor Fanshaw se puso morado. —Sabía que se equivocaría, ese idiota. —Un pensamiento horrible lo golpeó— Le diste el correcto, ¿verdad? ¿El que dejé en el casillero? No me lo creo. ¡Fuera de mi camino! Tropezó al pasar y vio su maletín vacío en el suelo.

—¡Imbécil! ¿No lo hiciste?

Justo en ese momento, una cabeza asomó por la puerta y Reg miró hacia adentro disculpándose. —Hay un caballero ansioso por verlo, señor. Dice que es de la Brigada Especial.

Hay algunos expertos que te dirán que no es posible abandonar una oficina a la velocidad que el Mayor Fanshaw-Smythe lo logró en ese preciso momento. Pero estaban equivocados. En un momento estaba allí y al siguiente se había ido, acompañado por un zumbido. Como Julie comentó más tarde con asombro: —Ni siquiera se detuvo a recoger sus palos de golf.

En otra parte del corazón del Whitehall, dos altos funcionarios estaban discutiendo sobre las implicaciones del desastre de seguridad.

—Buenos días, Binky.

—Buenos días, Trevor. ¿Has oído las horribles noticias?

—Sí, horrible; no puedo soportar pensar en ello.

—Nunca pensé que llegaría a esto.

—Yo tampoco. Cuando lo escuché, apenas podía asimilarlo. ¿Hay alguna novedad?

—Prepárate amigo, puede que necesites un trago.

Trevor tragó saliva —Adelante, entonces.

—Inglaterra fuera por 23 carreras.

—No me lo puedo creer.

—Nunca superarán la vergüenza.

—No supongas que lo harán.

—Pero bueno, supongo que debemos continuar adelante y todo eso. Pecho erguido, frente en alto.

—No creo que pueda haber nada peor que eso, Binky.

—Solo un pequeño problema en el campo; he oído... ya sabes, lo que hablamos ayer. Acabo de oírlo al teléfono. Ese tipo, Fanshaw; se ha largado.

—¡Oh, él! ¿Qué estaba tramando?

—Solo intentó vender los detalles de una de nuestras bases nucleares a cambio de su cuota para usar el campo de golf.

—Eso no me sorprende. Nunca confié en él de todos modos.

—Tranquilo, amigo. Era tu primo después de todo.

—Lo sé, eso es lo que lo empeora.

—Y era uno de nosotros. Ya sabes, en tiempos de Eton y Guards y todo eso. ¿Qué tenías contra él?

—Intentó ganar nuestro torneo de golf local después de que lo vi recoger la pelota cuando nadie estaba mirando y meterla en el maldito agujero.

—Bueno, no tendrá muchas posibilidades de jugar golf donde quiera que vaya... Siberia, según tengo entendido. No hay muchos campos de golf allí.

Después de algunos intercambios desganados, Trevor se rascó la cabeza —Sí, eso está muy bien, pero ¿qué hacemos ahora? ¿Qué pasa con los periódicos? ¿Qué les vamos a decir?

—Oh, ya pensaremos en algo. Ya sabes, sufría exceso de trabajo. Se le ha extendido el permiso para superarlo, lo típico. Nuestro agente de relaciones públicas se encargará de eso.

—Sí, pero ¿a quién elegiremos para reemplazarlo?

—Ah bueno, supongo que tendrá que ser el viejo *caraepastel*, ya sabes; su sustituto, ¿cómo se llama? el viejo Grimshaw, eso es. Debería saberlo, es el hermano de mi esposa. Nada que destacar: tiene cara de caballo, pero supongo que tendrá que hacerlo hasta que aparezca otra cosa.

—Creo recordar... ¿no era una especie de instructor de fitness de alguna escuela o algo así?

—Sí, no le hables de ese tema, por lo que más quieras. Te hará hacer volteretas y esprintar alrededor de la manzana, antes de que te des cuenta y eso es solo para empezar.

—Bien. Bueno, me alegro de que hayamos resuelto eso, Binky.

—Exactamente. Así que te dejaré a ti, Trevor; para que arregles las cosas.

—Sin problema. Será mejor que me ponga manos a la obra, de lo contrario el grupo ese de ahí abajo se preguntará qué está pasando, especialmente ese nuevo recluta que tenemos.

—¡Caramba! Qué pronto ha desenmascarado al viejo Fanshaw, ¿no? Tendremos que vigilarlo, este chico promete. ¿Cómo se llama? ¿Jyp o algo así? Suena como ese caballo con el que perdí una fortuna en Ascot el otro día. ¿Qué sabemos de su pasado?

—¿A qué te refieres Binky, viejo amigo?

—Ya sabes, ¿es uno de nosotros? ¿Escuela pública y toda esa podredumbre?

—Por lo que puedo entender, fue a ese lugar divertido del que todos hablan, ya sabes, la escuela secundaria del condado de Watlington.

—¿No es aquella en la que alguien intentó vender el Puente de Londres a los yanquis?

—La misma. Te diré algo, me pregunto qué hará del viejo nuestro nuevo recluta Grimshaw, suena como un bárbaro.

—No me sorprendería: nos da un susto de muerte a nuestra sección cada año cuando aparece como Papá Noel.

—Me encanta pasar desapercibido cuando él se queda encargado... ¿qué?

—Me has quitado las palabras de la boca, viejo amigo.

—Me alegro de haber charlado un rato, Binky. Qué bien que podamos tener a alguien en quien confiar, ¿eh?

—Exactamente. Yo no lo habría expresado mejor. Te veo en el Club esta noche, viejo Trevor.

6

UN BÁRBARO

De vuelta en la oficina, parecía un enjambre lleno de actividad. La policía y los coches de incógnito iban y venían, con hombres uniformados y vestidos de civil que se apiñaban y desaparecían dentro a intervalos regulares, invitando a las miradas curiosas de los transeúntes. No fue sino hasta más tarde cuando comenzó a calmarse nuevamente y el vecindario reanudó su actividad normal.

Después de una larga pausa, una cabeza asomó por la entrada de la oficina de seguros local y Jyp apareció. Después de liberarse de las atenciones del vendedor de seguros que había dentro, regresó con cautela a la oficina.

Tan pronto como puso un pie dentro, Reg se abalanzó sobre él —Aquí estás, ¿dónde has estado? Se ha desatado todo un infierno.

Fingiendo sorpresa, Jyp adoptó su habitual mirada de inocencia en blanco —¿Qué pasa?

—Hay polis por todas partes y el jefe se ha largado. ¡Eso es lo que pasa!

—Estás bromeando. Entonces será mejor que vaya y vea qué pasa —dijo Jyp, preguntándose qué demonios podría haber sucedido en el poco tiempo que estuvo fuera—. ¿La señorita Julie sigue allí?

—Sí, pobrecita. Está hecha un manojo de nervios —le mostró el camino y llamó a la puerta. —Aquí la tienes —miró hacia atrás en tono de disculpa—. ¿Qué estoy haciendo? Ya deberías conocer el camino. —Encogiéndose de hombros, agregó— Esperemos que todos sigamos aquí mañana, después de todo este revuelo.

—No te preocupes, no será a ti a quien pongan de patitas en la calle, si es que echan a alguien —dijo Jyp de mal humor.

—Oh, ¿sabes algo que yo no sé? —preguntó Reg esperanzado.

Temeroso de lo que le esperaba, Jyp sacudió la cabeza. —Te alcanzaré más tarde —respondió apresuradamente, cuando la puerta se abrió.

—Oh, hola —Julie echó un rápido vistazo a Reg y luego volvió a mirar hacia el pasillo antes de tirar de Jyp hacia dentro. —Hasta luego, Reg.

—Y bien, Jyp —ordenó ella, empujándolo sobre un asiento. —¿Qué pasó con el mensaje?

Mientras él describía su encuentro con el espía y los eventos posteriores, ella se rio irónicamente. —Un «curso de iniciación». ¡Vaya presentación!

—¿Por qué? ¿Qué he hecho?

Al ver su mirada de desconcierto, Julie se compadeció de él —Solo llevas aquí cinco minutos y en tu primer día has logrado desenmascarar a uno de los mejores agentes dobles del país y resulta ser justo nuestro Mayor Fanshaw.

—Estás bromeando —dijo débilmente—. ¿Cómo?

Ella lo miró con reproche —Ese paquete que recogiste por error contenía detalles de uno de nuestras... —mirando a su alrededor cuidadosamente, bajó la voz— plantas nucleares, y él justo se lo iba a pasar al enemigo por una suma enorme para poder pagar sus cuotas de golf.

—¡No! ¿Y él qué tenía que decir al respecto?

—¿Decir? Él no se quedó para explicarlo, salió como un disparo. Nunca lo he visto moverse tan rápido.

Jyp suspiró —Así que eso es todo. Otro trabajo que se desvanece como el humo. —Se levantó pesadamente—. Parece ser la historia de mi vida. Entonces me despediré; ha sido un placer conocerte, Julie.

—Pero ¿no lo has escuchado? —Julie sonrió, lista para dar la noticia.

—¿Escuchar qué?

—Pues que eres el héroe del momento.

—¿Eh?

—Según Dave, nuestro poli local, no solo expusiste a nuestro jefe como agente doble, sino que te aseguraste de que el espía fuera atrapado con las manos en la masa con algunos de nuestros principales secretos. Y —agregó triunfante—, dijo que eras demasiado modesto para esperar y que dejaste que él se llevara el mérito. ¡Eso sí, él podría hacer eso, con ese inspector que le está pisando los talones!

—Pero —protestó Jyp—, yo no he hecho nada.

—Eso no es lo que dijo Dave. Yo no lo discutiría —añadió al ver su expresión de desconcierto—. Se registrará en tu expediente y te dará un impulso, no es un mal comienzo en este tipo de juego. De todos modos, debo espabilarme. Nos han dicho que hagamos las maletas y nos vayamos a casa, mientras que la gente de seguridad le echa un vistazo al lugar.

—¿Cuánto tardarán?

—Ni idea, pero tenemos que desfilar mañana a las nueve en punto para conocer a nuestro nuevo jefe, así que no llegues tarde.

—¿Quién es? —preguntó Jyp, todavía perdido.

Supongo que es nuestro segundo al mando. Ella consultó su agenda —Alguien llamado Grimshaw, según nuestros registros. Un bárbaro, según dicen.

—Eso es lo que menos necesitamos —dijo Jyp con sentimiento.

—Anímate, Jyp. No tienes nada de qué preocuparte después de todo lo que has hecho —al ver que la duda persistía en su rostro, ella apretó su brazo de forma tranquilizadora—. No te preocupes, ya verás que todo va a ir bien. Te apoyaremos.

Al escuchar su relato después de regresar a su alojamiento, la tía Cis apretó sus labios pensativamente.

—Grimshaw... es gracioso, me suena. Estoy segura de que he oído ese nombre antes en alguna parte.

—Te agradecería mucho si pudieras averiguarlo, tía Cis. Podría ser de gran ayuda. De verdad que lo necesito.

Su tía lo miró tranquilizadoramente —Sé que tienes que andar con un poco de cuidado, ya que acabas de comenzar allí; pero sabes que el problema contigo, Jyp, es que no eres muy asertivo. Necesitas defenderte más. Hazme caso, de lo contrario solo estarás acumulando problemas. En este juego, verás que otras personas se aprovecharán de ti en cuanto tengan una oportunidad. Si lo sabré yo —

añadió con pesar—, en mi época, siendo mujer era diez veces peor.

—Dímelo a mí —afirmó Jyp de mal humor—. Si tú supieras.

—Bueno, no te lo tomes demasiado en serio; de lo contrario no le parecerás gran cosa a esa jovencita.

Jyp se puso colorado —No sé si le parezca de todos modos —dijo melancólico.

Su tía se levantó enérgicamente.

—Bueno, no le parecerá si apareces con esa facha. Debo lavar tus cosas en la lavadora y asegurarme de que tengas un aspecto impecable cuando conozcas a este nuevo jefe tuyo; Grimshaw, ¿has dicho?

—Sí, si no te importa, tía Cis. No quiero darle la impresión equivocada. Me pregunto cómo será. Espero que envíen a alguien constante y fiable esta vez, para calmar las cosas. No quieren que se repita la última —se estremeció ante la idea.

A pesar de su nota de optimismo esperanzador, descubrió que estaba equivocado en ambos aspectos cuando lo llevaron a la oficina de Grimshaw a la mañana siguiente. El hombre que dio un respingo para saludarlo parecía tan lleno de energía que daba la impresión de un petardo a punto de estallar.

—Hola. Mi nombre es Ernest Grimshaw y soy tu nuevo jefe —resonó su voz mientras zarandeaba la mano de Jyp—. ¿Y quién eres tú?

—Jefferson Patbottom... ejem, señor.

—No te preocupes, no se puede remediar. Todos llevamos nuestra cruz. Pero ¿dónde estábamos? —dijo, disminuyendo su voz y convirtiéndola en una serie de ladridos—. Me han pedido que me haga cargo y ponga un poco de vida en el trabajo. Una oficina sana es una oficina feliz, ¿eh? —Interrumpió la conversación cuando Julie entró con una bandeja de té—. Oh, gracias querida, déjalo allí, ¿quieres? —señalando una mesa cercana—. Bueno, siéntate Jefferson, no estamos en una ceremonia —se movió hacia un asiento y Jyp obedeció.

Inmediatamente después de hacerlo, se oyó un fuerte chillido y Jyp se dio cuenta con horror de que su tía le había preparado sus interiores de broma por error. Se puso de pie de un salto agitadamente y volcó la mesa con las bebidas. —Oh, lo siento —trató ineficazmente de arreglar el desorden que goteaba, empeorando las cosas.

—No te preocupes por eso. Siéntate, hombre. Le diré a Julie que lo limpie. Ahora, vamos a lo importante.

—Permaneceré de pie, si no le importa —se excusó Jyp apurado—. Ha sido un calambre.

—Parece que necesitas un poco de ejercicio, muchacho. Oh, por el amor de Dios, siéntate. No puedo hablarte así.

Jyp se sentó cautelosamente en el borde del asiento, esperando un ruido, pero no pasó nada; así que se relajó un poco y logró volver a activarlo.

—Vaya, no puedo dejar que vayas por ahí haciendo ruidos como ese, molestarás a Julie. De pie, Jefferson, esto requiere una acción inmediata —sacó su reloj—. ¡Corriendo en tu lugar, empieza ahora!

—Pero no necesito estos ejercicios —jadeó Jyp, mientras trataba de mantener el ritmo—. No lo entiende, son mis interiores.

—Sí, lo sé; muy irregular, no estoy sordo. Deberías ver a tu médico y que te diera algún medicamento para eso. Sea lo que sea, necesitamos limpiar tu sistema. Ahora, respira hondo y comienza de nuevo y si necesitas jadear, mira cómo lo hago yo.

Intentar explicar y observar a su jefe al mismo tiempo resultó ser un gran esfuerzo, con el resultado de que Jyp perdió el equilibrio y volvió a caer en su asiento una vez más.

—Dios mío, esto nunca va a funcionar —Grimshaw chasqueó la lengua ante los chillidos y tocó una campana. Cuando Julie apareció, él tosió— Jefferson y yo saldremos un rato. Tenemos cosas...

ejem... importantes de las que hablar. Mejor a la intemperie, donde nadie pueda escucharlas, ¿eh, Jefferson?

—Sí, señor —Jyp asintió agradecido.

—Bien entonces. Pasa, Julie. Si pudieras limpiar las cosas del té, parece que tiene algún tipo de malestar.

—No se preocupe, yo me encargo —ella le lanzó una mirada de aliento cuando Jyp caminó de puntillas alrededor de las tazas destrozadas. Mientras seguía a Grimshaw, le susurró a ella con voz ronca— ¡Dile a Reg que me traiga unos interiores!

—¿Unos qué?

—Unos calzoncillos. ¡Me he puesto los que no eran!

—Vamos, Jefferson —ordenó Grimshaw con impaciencia desde la puerta.

—Ya voy, señor —gritó Jyp. Y dirigiéndose a Julie— No importa, te lo explicaré más tarde. —Se apresuró a salir, dejando a Julie con una mirada de asombro en su rostro.

Afuera, Grimshaw hizo un gesto con la mano y salió a paso rápido. Mirando hacia atrás, ladró —Vamos, vamos, Jefferson. No hay tiempo para aflojar, tenemos que ponerte en forma. Sígueme.

Jyp cojeó haciendo todo lo posible para evitar activar los calzoncillos de broma mientras trataba de mantener el ritmo.

Cuando pasaron por la tienda de periódicos, Grimshaw disminuyó la velocidad para leer el cartel de fuera y viendo el título "LO ÚLTIMO SOBRE ESPÍAS" interrumpió la marcha y se apresuró a coger un periódico mientras Jyp, aprovechando el respiro, se apoyaba en la puerta, jadeando.

Antes de que tuviera la oportunidad de recuperar el aliento, Grimshaw emergió nuevamente agitando el periódico por delante de él y espetó — Tenemos que regresar, esto hay que investigarlo.

Lanzando un suspiro de gratitud, Jyp se dio la vuelta y lo siguió a un ritmo más pausado, aliviado de que el ejercicio hubiera terminado.

De vuelta en la oficina, Grimshaw lo dejó y desapareció en su oficina. Aprovechando la oportunidad, Jyp se inclinó sobre el escritorio de la recepcionista y le preguntó a Julie ansiosamente —¿Reg consiguió esas... ejem... cosas que pedí?

Levantando la mirada desde una pila de papeles, Julie; sintiéndose ligeramente acosada, respondió distraídamente —¿Qué cosas?

—Ya sabes, mis... ejem... cal... mi ropa interior.

—¿Es eso lo que intentabas decirme?

—Sí, por supuesto —dijo sintiéndose avergonzado—. ¿Y bien?

—Le transmití tu mensaje tal como me lo dijiste, Jyp —respondió brevemente, mirando hacia arriba—. Será mejor que se lo preguntes tú mismo. Ahora estoy bastante ocupada con todo esto —ella le dijo adiós con la mano expresivamente.

—Vale, no te preocupes. Trató de retorcerse buscando una posición más cómoda y finalmente se rindió.

—¿Qué era lo que intentabas decirme? —Julie quiso saberlo mientras apartaba los papeles más tarde, pero Jyp se había ido.

—¿Calzoncillos? —repitió Reg incrédulo, cuando Jyp lo localizó—. Me estás tomando el pelo. ¿Qué pasa con los tuyos?

Jyp se lo dijo secamente en pocas palabras.

—Oh, no me digas que ella hizo eso —Reg se rio—. Estás bromeando. No... —cambió de opinión cuando Jyp se sentó, abatido y reculó— Entiendo lo que quieres decir. Mira, te diré lo que haremos, los intercambias conmigo y me iré discretamente y conseguiré algo tan pronto como el ajetreo disminuya. Será un momento.

Y con eso desapareció en un receso y poco después agitó un brazo en la distancia, sosteniendo un pequeño par de calzoncillos. —Mira, toma prestados los míos de momento. Te puedes cambiar aquí dentro.

Jyp hizo lo que le dijo y mirando furtivamente dio unos pasos antes de que su rostro se arrugase de agonía. —No puedo llevar esto, son demasiado ajustados, ¡son una tortura!

—Lo siento, Jyp, es todo lo que he conseguido —la voz de Reg flotó desde el otro lado de la tienda—. Tendrás que esperar hasta la hora del almuerzo. Ves, estos calzoncillos tuyos no hacen ningún ruido extraño.

Jyp regresó torpemente a la oficina, manteniendo sus pasos lo más cortos posible para aliviar la fricción, pero su extraño comportamiento se notó enseguida cuando Julie lo vio.

—¿Estás bien?

—Estoy bien, estoy bien —Jyp consiguió decir con una sonrisa de dolor—. Gracias a Dios, la marcha de la ruta ha terminado hoy —consultó su reloj—. Es casi la hora del almuerzo. Voy a salir un momento a ver si puedo conseguir algo más... ejem... algo para ayudar. Seguramente habrá una tienda por aquí en alguna parte.

Pero se equivocó de nuevo. Para su horror, todas las tiendas con las que se encontró tenían un cartel que le recordaba que hoy cerraban temprano. En su desesperación se dirigió a su casa, sabiendo afortunadamente que allí tenía un cambio de ropa interior. Pero cuando llegó allí, descubrió que su tía había salido y la puerta principal estaba cerrada y recordó que hoy era el día de su partida de Bridge.

Frustrado, volvió tambaleándose a la oficina y para colmo, descubrió que Julie ya se había ido a almorzar, cansada de esperarlo. Se vio obligado a cojear hasta el mostrador de la cafetería más cercana en una calle lateral donde se vio obligado a comer un rollito de jamón de pie.

Cuando regresó a la oficina, Julie estaba ansiosa por saber dónde había estado.

—¿Qué te ha pasado? Casi pierdo mi almuerzo esperándote.

—Yo... ejem... tuve que ir a las tiendas.

—Pero hoy cierran temprano, ¿no lo sabías?

Trató de aliviar sus estrecheces, fingiendo buscar algo en su bolsillo —Ahora lo sé, maldita sea.

—Bueno, de todos modos, has regresado justo a tiempo para ayudarme —agitó sus manos en dirección a una pila cada vez mayor de cartas mecanografiadas—. Tengo que enviar todo este montón, ¿puedes echarme una mano?

—Por supuesto —asintió rápidamente, ansioso por redimirse después de hacerla esperar—, ¿qué puedo hacer?

—Puedes meter en sobres algunas de este montón. El gran jefe blanco quiere todo en el correo esta tarde. Las sigue produciendo más rápido de lo que puedo manejarlas. No puedo mantener el ritmo. Te pregunto, ¿qué se supone que debo hacer?

Dejando a un lado sus propios problemas por un momento, Jyp se rascó la cabeza. Luego, recordando la oferta de ayuda que le hizo Reg, aprovechó la oportunidad de servir a su ídolo —Déjamelo a mí. Hablaré con Reg. Estoy seguro de que nos podemos encargar de este montón entre los dos.

Guardando su mirada de gratitud, Jyp fue en busca de Reg y lo encontró bajando las persianas antes de cerrar.

—Cucú, me atrapaste justo cuando iba a salir zumbando. ¿Hacer qué? Mientras no lleve demasiado tiempo. Tengo que cambiar tus calzoncillos, ya no hacen ruidos divertidos.

—No serán ni cinco minutos —le aseguró Jyp con entusiasmo, negando la idea de que les esperaban cientos de cartas.

—Oh, vale entonces, espera un momento mientras cierro la tienda —satisfecho por fin, siguió a Jyp de regreso a la oficina y parpadeó ante la avalancha que les esperaba—. Caramba, ¿dijiste cinco minutos?

—Muchas gracias —Julie les lanzó un cálido saludo—. Tan pronto como termine con este montón, vendré a echaros una mano.

Al verlos trabajar de pie, llenando torpemente

los sobres, señaló una mesa que había detrás de ellos. —¿Por qué no se sientan allí? Les resultará mucho más fácil.

—No, yo estoy bastante bien —Jyp hizo una mueca mientras cambiaba de posición—, prefiero estar de pie, gracias de todos modos.

—¿Y tú, Reg? —presionó Julie—. Debes estar terriblemente cansado después de estar en la tienda toda la mañana.

Reg miró la silla con deseo y luego sacudió la cabeza con pesar. —Estoy bien—. Luego, sin resistir la oportunidad de meterse con alguien —Jadeando para terminar con esto, ¿eh Jyp? —añadió astutamente.

—Estamos vestidos para el papel —admitió Jyp virilmente, tirando de sus pantalones.

Mucho más tarde, cuando doblaron la última carta y cerraron el sobre con un ademán de cansancio, Reg miró su reloj —Caramba, no me digas que ya hemos terminado, no me lo creo.

Jyp enderezó la espalda e intentó mover una pierna hacia adelante y hacia atrás para ver si quedaba vida en ella. —Espero que sí. Parece que esto era todo —dijo con cautela, casi esperando que se abriera la puerta, señalando la llegada de otro lote.

—Bueno, será mejor que saquemos todo este lote —decidió finalmente Jyp, sopesando el saco que contenía los sobres. Se miraron con optimismo, esperando que alguien más se ofreciera.

Al ver su aprieto, Julie anunció con pesar —Lo siento, no puedo ayudarlos, todavía tengo ciento cosas que ordenar. ¿Y tú, Reg? ¿Podrías arreglártelas para llevar todo esto al correo?

Soltando un suspiro, Reg levantó el saco con dificultad y salió tambaleándose, diciendo por encima del hombro —Déjamelo a mí, yo me encargo. Estaré encantado de llegar a casa y sentarme de nuevo, ¿eh Jyp?

Antes de que Jyp pudiera responder, oyeron que se abría la puerta de la oficina y Julie gimió —Espero que no sea otro lote.

En lugar de otro lote, fue el propio Grimshaw quien salió y se abalanzó sobre ellos.

—Ah, ahí estás, Jefferson. ¿Por dónde íbamos?

—Estaba usted revisando el titular de ese periódico —le respondió Jyp rápidamente, con la esperanza de evitar más demandas de mecanografía mientras jugaba con sus pensamientos dispersos y mientras trataba de recordar detalles de su último encuentro.

Grimshaw frunció el ceño despectivamente. —Era solo uno de esos rumores tontos que circulan por ahí. Enseguida le he dicho al editor qué hacer con él y lo hemos acallado —su voz se alzó indignada—. Le dije que viniera a verme la próxima vez que tenga un informe como ese; tuvo el descaro de sugerir que no teníamos un control de fronteras efectivo. Y yo pregunto, ¿para qué cree que estamos aquí?

—¿No le dijiste? —chilló Julie antes de que pudiera detenerse.

Afortunadamente, Grimshaw tenía demasiadas preocupaciones como para darse cuenta. —Por supuesto que no, no nos llaman "el servicio silencioso" por nada. Sin embargo, he estado pensando. Ahora que ha surgido esto, me temo que esto significa que tendremos que posponer nuestro programa de ejercicio saludable de momento, Jefferson. No... —él levantó una mano, sin darse cuenta de la abrumadora expresión de alivio en la cara de Jyp—sé que esto te molestará, pero me temo que hay otros problemas más importantes que tienen prioridad.

—No, en absoluto —Jyp tragó saliva varonilmente—. Me las arreglaré.

—No creas que lo he olvidado —se enderezó Grimshaw—. Volveremos a ello tan pronto como pueda. Sé cuánto lo echas de menos.

—Gracias, señor.

Al fondo, Julie reprimió una sonrisa.

—Mientras tanto, con todo este trabajo que se avecina, veo que tendremos que hacer algunos cambios por aquí, para disminuir la carga en la oficina.

Ante sus palabras, a Julie se le iluminó la cara.

—No quiero que este sistema actual continúe por más tiempo. Puedo ver que es demasiado esperar con nuestro nivel actual de personal. No es justo para ninguno de ustedes.

—¿Eso significa que tendré un ayudante? —preguntó Julie esperanzada.

—Tengo un plan mucho mejor que ese —respondió Grimshaw, golpeando a Jyp en la espalda—. Después de todos esos informes sobre el excelente trabajo de este joven, he decidido recompensarlo dándole más responsabilidad. He dispuesto acondicionar el almacén de papelería para que sea su oficina y he designado a una tal señorita Plackett para que sea su secretaria —echó un vistazo a su reloj de pulsera—. Ah, ya debe estar aquí. Disculpen mientras le explico la situación.

Su partida dejó un silencio pasmado que Julie rompió. —Felicidades, Jyp, estoy muy contenta por ti —y cavilando dijo— Si no te importa, también yo puedo ayudar —agitó una mano en dirección a la pila de transcripciones que aún tenía a su lado. Dándose cuenta de su aparente falta de entusiasmo, ella exclamó— No pareces muy entusiasmado con esto.

Jyp se volvió hacia ella con exasperación. —No puedo pensar en ello mientras lleve estos dichosos...

Lleno de vergüenza, estuvo a punto de hacer una confesión completa cuando la puerta se abrió y

Grimshaw apareció y les presentó a una atractiva joven que Reg describió más tarde como "magnífica".

Notándolos boquiabiertos, Grimshaw rompió el incómodo silencio —Aquí está Jefferson, esta es tu nueva secretaria, la señorita Gladys Plackett. Creo que lo he dicho bien, ¿verdad, jovencita?

—Encantada, por supuesto. La joven en cuestión sonrió con modesta confusión, batiendo los ojos hacia Jyp.

Antes de que alguien pudiera pensar qué decir a continuación, Grimshaw hizo un gesto expansivo.

—Para celebrar los nuevos arreglos, he decidido que nos conozcamos más informalmente. Con esta idea, he reservado una mesa en un mesón encantador que me ha recomendado alguien que conozco —miró su reloj y se echó a reír jovialmente— Madre mía, veo que tenemos que llegar allí en diez minutos. Será mejor que nos movamos o daremos mala imagen al chef. Y no nos lo podemos permitir, ¿verdad? Usted dirija el camino, Señorita Diamond, ya que conoce el vecindario.

Desconcertada, Julie le recordó —¿Dónde está, señor?

—Oh, santo cielo, no lo he mencionado, ¿verdad? Creo que lo llaman «El guerrero feliz».

—Oh Dios, ese antro —Julie reaccionó sin pensar—. Me refiero a que... —trató de ser discreta

—, tiene cierta reputación por... un tipo de entretenimiento bastante diferente, creo. Estoy segura de que será magnífico —añadió apresuradamente.

—Bueno, depende de nosotros probarlo, así que vayamos, no queremos llegar tarde.

Julie lanzó una rápida mirada de disculpa a Jyp y abrió camino.

Cualquier duda que Julie habría expresado resultó estar bien justificada. El interior del mesón en cuestión tenía un aspecto triste y daba la impresión de que acababa de recuperarse de una redada policial y estaba haciendo todo lo posible para recomponerse, sin mucho éxito.

A pesar de eso, Grimshaw parecía decidido a aprovechar al máximo la ocasión y pasó la mayor parte del tiempo intercambiando saludos con unos cuantos extraños de aspecto sórdido que pasaban por su mesa y parecían conocerlo muy bien. Parecía tan absorto que Julie, recordando que debería suplirle como anfitrión, comenzó a asentir con la cabeza significativamente a Jyp y luego a Gladys mientras la banda empezó a sonar y varias parejas comenzaron a levantarse para bailar.

Horrorizado con la idea de intentar moverse por la sala discapacitado como estaba por los calzoncillos de Reg, Jyp hizo todo lo posible por ignorar sus señales hasta que Julie se inclinó sobre la mesa y siseó —¡Pídeselo, idiota!

Tragando saliva, Jyp se levantó torpemente e hizo algunos gestos de amabilidad, gimiendo internamente por el esfuerzo que suponían. Encantada de que se lo pidiera, Gladys se levantó ansiosa, más que dispuesta a unirse a los bailarines. Inmediatamente se hizo evidente para ella que había cometido un gran error cuando Jyp la agarró torpemente e hizo una mueca cuando los calzoncillos comenzaron a morderle en los lugares más insospechados.

Malinterpretando sus acciones, Gladys se acurrucó más de cerca y le sonrió afectadamente —¿Así está mejor? No estaba siendo muy amigable, ¿verdad?

Sintiéndose obstaculizado por su empalagoso abrazo, lanzó una mirada solicitando ayuda en dirección a Julie, pero a cambio solo recibió una mirada distante.

Incapaz de ignorar su peculiar método de baile, su compañera le ofreció una mirada tímida interrogándole mientras pisaba su pie una vez más. —¿Hay algo mal?

Aprovechando con entusiasmo la oportunidad, Jyp dijo con cara de valentía —Lo siento, es mi pierna lisiada.

—Oh —se las arregló para sonar decepcionada cuando varias parejas se tropezaron con ellos—. Justo cuando nos estábamos conociendo. Tal vez deberíamos quedarnos sentados.

Aliviado, la llevó de regreso a la mesa solo para enfrentarse a las críticas no expresadas de Julie.

—Un bailarín divino —dijo Gladys con valentía, deslizando los pies fuera de los zapatos para aliviar los dolores.

—Estoy tan contenta de que lo estés disfrutando —respondió Julie dulcemente, tratando de mantener una nota de reproche en su voz.

Hubo una pausa repentina cuando Jyp trató de pensar en un tema más seguro. Antes de que se le ocurriera algo, Grimshaw apareció nuevamente y notando la tensión en la atmósfera, anunció jovialmente —Oigan, esto es agradable, me lo he pasado genial y he conocido todo tipo de nuevos amigos. ¿Nadie baila? Vamos, ¿usted, Señorita Diamond? ¿Me concede este baile?

—No, ahora no —Julie se negó cortésmente, esperando escuchar lo que Jyp había estado haciendo —. Tal vez un poco más tarde.

—Oh —comentó Grimshaw, para no ser menos —. ¿Y usted, Señorita Plackett?

Incapaz de rechazar una orden implícita, Gladys volvió a meter los pies en sus zapatos maltratados y sonrió radiante —Claro, me encantaría.

En cuanto estuvieron fuera del alcance del oído, Julie no pudo esperar. En el poco tiempo en el que llevaban conociéndose, ella estaba empezando a sentirse algo más que una colega para Jyp y no pudo ocultar una punzada de celos —¿Qué estabas haciendo ahí fuera? Estabas montando un buen espectáculo.

—Yo... ejem —estaba a punto de repetir su excusa sobre una pierna lisiada cuando su expresión le dijo que eso estaba fuera de lugar y decidió ser franco. Cuando comenzó a soltar su carga, su mirada de severa desaprobación comenzó a derretirse y una nota de histeria se deslizó en su voz y comenzó a reírse tan fuerte que los bailarines cercanos comenzaron a acercarse con la esperanza de recuperar el hilo de su conversación para aliviar el tedio de sus deprimentes alrededores.

—¿Por qué demonios no me lo dijiste antes? —ella jadeó por fin, entre resoplidos—. Pobrecito, debes estar sufriendo... —casi usó la palabra "agonía" pero la sustituyó por—: ¿Te sientes terrible?.

Retorciéndose ante la idea, Jyp trató de defenderse —No es algo de lo que pueda hablar.

—Idiota —suspiró, secándose las lágrimas de los ojos—. Seguramente ya sabes que lo entendería —se detuvo, consciente de que la envolvía un sentimiento de ternura, completamente diferente a su relación anterior cuando se consideraba más como una hermana. Desde entonces sintió que ya no podía pensar en él solo como un amigo, pero había algo más que estaba brotando dentro de ella, que de alguna manera lo hacía un poco más especial que cualquier otro hombre. Dejando de lado sus sentimientos con esfuerzo, trató de concentrarse en los aspectos prácticos: —Bueno, ¿y qué vas a hacer al respecto?

Él soltó un suspiro: —Hoy las tiendas cierran temprano, así que supongo que tendré que esperar hasta llegar a casa y cambiarme.

—Posiblemente no podrás esperar hasta entonces —decidió Julie con firmeza—. Mira —sacó un par de tijeras pequeñas de su bolso—. ¿Por qué no usas esto? Me parecen muy útiles.

Él las tomó con cautela. —¿Qué se supone que tengo que hacer con esto?

Ella suspiró —Ve a cortártelos para estar más cómodo, por supuesto. Hay un baño de caballeros por ahí —indicó—. Yo no puedo hacerlo por ti, no permiten entrar mujeres —sonrió con picardía.

—Gracias, nunca pensé que tendría que hacer esto. Pobre Reg, le gustaban mucho estos.

—No le importará, es por una buena causa. Ve.

—¿Estás segura de que estarás bien? —él dudó, echando una ojeada a la ruidosa juerga que sucedía a su alrededor.

—Por supuesto que sí —le insistió—. No te preocupes, los demás volverán enseguida.

Pero ella estaba equivocada. Tan pronto como se liberó de los restos andrajosos con un suspiro de felicidad y salió nuevamente al salón de baile, se encontró con un lugar desierto.

En ese momento, una mano pesada descendió sobre su hombro y una voz autoritaria anunció en su oído con satisfacción —Está usted arrestado.

7

LLUVIA DE BILLETES

Cuando lo condujeron a la estación de policía, el sargento que estaba en el escritorio levantó la vista, estresado y reconoció a su viejo amigo Dave.

—¿Usted también, señor? Deme su nombre entonces.

—Jefferson Patbottom.

—Una pregunta tonta, ¿vale? ¿Cómo lo deletrea? —procedió a escribirlo laboriosamente—. P-a-t-b-o-t-t-o-m. ¿Dirección? Oh, ya la sé, por supuesto. Bien, señor, el agente lo llevará a nuestra sala de entre-vistas para el procedimiento de cacheo habitual. —En respuesta a la mirada inquisitiva en el rostro de Jyp, explicó— Es simple rutina, señor. Tenemos que hacer lo mismo con cualquier persona atrapada en ese lugar. No es de extrañar que lo llamen "El gue-rrero feliz", lo cual no es sorprendente, siempre se vuelven locos después de las cosas que sirven allí. Bien —le indicó al agente—, lleve a este caballero junto a los demás. Encontrará su grupo allí abajo. Y si puedo hacerle una sugerencia, señor, no permita que lo convenzan para que vaya allí de nuevo.

—No se preocupe, no lo haré, —dijo Jyp con sentimiento, mientras lo sacaban de allí.

Sacudiendo la cabeza, el sargento tomó un teléfono y dijo —¿Me comunicas con la Sra. Green, amor? —Cuando llegó la llamada, tosió disculpándose— Oye Cis, tengo a tu huésped aquí. Ahora no te lo puedo explicar. Será mejor que vengas a llevártelo.

En el interior, después de someterse a un cacheo, Jyp encontró a los otros agrupados alrededor de un Grimshaw con la cara colorada agitando sus brazos furiosamente. —¿Cuánto tiempo más me van a tener esperando así? Es intolerable. Exijo ver al jefe de policía. Ah, eres tú, Jefferson —se calmó—. ¿Qué está pasando ahí fuera?

—Parece que la policía conoce bien el restaurante, señor —dijo Jyp disculpándose.

—El agente me ha dicho que es un conocido lugar donde se trafica con drogas.

—¿Un lugar de drogas? Tonterías. Algunos de mis mejores amigos van allí.

Julie captó su atención en el fondo y asintió significativamente.

Cuando las palabras se apagaron, el agente asomó la cabeza por la puerta —Al sargento le gustaría verlo ahora, señor. Si pasa por aquí.

Enfurecido, Grimshaw salió, seguido por los demás, ansiosos por no quedarse atrás.

En el escritorio, Jyp vio a su tía Cis y lanzó un suspiro de alivio, mezclado con la vergüenza de ser descubierto en tal situación.

Marchando hacia el escritorio, Grimshaw golpeó la superficie, rompiendo la conversación que el sargento tenía con la tía de Jyp.

—¿Bajo qué cargos estamos retenidos, sargento? —demandó.

Enderezándose, el sargento Ferris lo miró suavemente. —Bueno, señor, la situación es que usted estaba en un local sin licencia y bebiendo un licor embriagador. Podría retenerle hasta mañana hasta que llegara el juez.

—Oh —dijo Grimshaw tranquilizándose—, ya veo, ejem... ¿es por eso, verdad?

—Podría haber una pequeña multa en casos como estos.

—Bueno, si solo se trata de eso —sonrió Grimshaw—, no creo que me considere poco generoso.

—Si puedo hacer una pequeña contribución a los fondos de la Policía, ¿quizás eso ayude? —sacó su billetera y dejó un puñado de billetes en el escritorio frente al asombrado sargento, provocando un susurro ahogado por parte de los demás.

Confundiendo el profundo silencio como una señal de que su oferta era solo el inicio, Grimshaw profundizó en su bolsillo y arrojó un fajo de billetes sobre el mostrador. —Ahí tiene, ¿qué le parece eso?

Tosiendo discretamente, el sargento barrió los billetes dentro de un recipiente y cerró la tapa.

—Creo que eso cubriría los costes más que adecuadamente, señor. En ese caso, creo que podríamos considerar el incidente como cerrado. Son libres de irse.

Dándose importancia, Grimshaw anunció —Yo también lo creo. —Para los demás, murmuró— Espero que se guarden los detalles de esta noche para ustedes; será mucho mejor para todos los involucrados en esta situación.

Mientras Jyp los seguía, el sargento se inclinó hacia él y le aconsejó confidencialmente —Si puedo hacerle una sugerencia señor, siempre es aconsejable asegurarse de que tiene los calzoncillos puestos en ese tipo de establecimientos; puede estar enviando una señal equivocada, especialmente para mi Inspector —se sacudió—. Por suerte, hoy es su día libre.

—No se preocupe, lo haré— prometió fervientemente Jyp.

Afuera, Julie apartó a Jyp hacia un lado. —Bueno, ¿qué piensas de eso?

Pensando en lo que había sucedido, Jyp respondió pensativo —No me gusta decirlo, pero creo que está tramando algo, Julie. ¿Quiénes eran todos esos personajes desagradables con los que se encontró en el restaurante? Parecían muy amistosos, demasiado cariñosos, si me lo preguntas.

—Sí, y ¿qué hay de todas esas cartas que ha estado enviando, preguntando si tienen un trabajo para todas esas personas que él dice que ha autorizado?

Jyp reflexionó: —Si tan solo pudiéramos averiguar en qué ha estado metido. Me pregunto si habrá algo en su oficina que nos de alguna pista.

Julie lo agarró del brazo con entusiasmo. —Lo sé, ¿por qué no echamos un vistazo nosotros mismos?

—¿Cómo hacemos eso si él está allí todo el tiempo?

—No me refiero a mañana, ¿qué tiene de malo esta noche? Tengo una llave.

—¿Qué?, ¿ahora?

—No hay mejor momento, antes de que tu casera quiera saber dónde estás.

—Vale —Jyp asintió maravillado, contagiado por su entusiasmo—. Vamos.

Mientras la seguía a la oscura oficina, Jyp se maravilló de su temeridad al desafiar la guarida del león y comenzó a verla con una nueva luz.

—Vamos —le urgió ella mientras él dudaba por un momento fuera de la oficina de Grimshaw—. Sostén la linterna mientras pruebo la llave. ¡Eureka! —murmuró cuando la puerta cedió—. Bien, estamos obteniendo resultados —ella se detuvo en el escritorio de Grimshaw y miró a su alrededor—. ¿Por dónde empezamos?

—¿Por qué no pruebas en su escritorio, mientras yo reviso ese archivador?

—Bien pensado, no tenemos mucho tiempo. Me pregunto qué habría pensado papá sobre esto —ella se rio—. Es terriblemente recto con este tipo de cosas. Le daría un ataque.

—No tenemos tiempo para entrar en sutilezas —susurró Jyp—. ¡Manos a la obra!

—Bien. Aquí, ¡echa un vistazo a esto! —Julie tiró de un cajón en el que se encontraron una gran cantidad de billetes, agrupados en fajos.

—¡Guau! —Echó un vistazo y silbó—. Obviamente tiene todo esto para pagar a alguien. La pregunta es ¿a quién? —él se acercó al archivador y sacó un cajón—. Echemos un vistazo. —Después de unos minutos indagando, se volvió hacia Julie— Parece que aquí hay una muestra del sector con una lista de todas las personas con las que ha estado en contacto. Y solo ha estado aquí cinco minutos. Debe haber estado haciendo esto durante meses, mucho antes de venir aquí. Y esto lo demuestra... ¡Mira! —abrió otro cajón—. Aquí hay una lista de las personas a las que está tratando de autorizar por seguridad, de ahí es de donde debe venir todo el dinero... ¡soborno!

Se miraron mutuamente.

Julie hizo una pregunta práctica —¿Cómo vamos a demostrarlo?

Recordando su última conversación con su tía, Jyp tuvo una idea repentina —Recojamos algunas muestras de cada una de las listas y se las mostraré a la tía Cis. Ella me dice que estuvo involucrada en seguridad en otra época y puede que sepa qué hacer. Incluso podría recordar haberse cruzado con nuestro santo jefe; dijo que el nombre le era familiar.

—Vale —accedió Julie, aliviada de que finalmente estuvieran progresando— tú consúltalo con tu tía Cis y cuéntamelo por la mañana.

La mención de su tía hizo que Jyp se sintiera culpable —Será mejor que regrese, supongo que se estará preguntando a dónde me he ido.

—Y yo debo volver. Adiós Jyp. Gracias por tu ayuda —ella tocó su brazo en agradecimiento.

La sensación de su mano cálida hizo que Jyp pegara un brinco e instintivamente él extendió la mano para encontrarla. Al minuto siguiente ella estaba en sus brazos y él se encontraba besándola.

Terminando con un jadeo, Julie decidió que le gustó bastante la experiencia —Es mejor que me vaya ahora —dijo sin aliento—. Te veo mañana. —Y lo echó fuera antes de cerrar la puerta tras de sí.

Jyp deambuló de regresó a su alojamiento en un feliz aturdimiento, reviviendo cada momento de su abrazo. Estaba en tal estado que su tía lo comentó cuando apareció —Despierta Jyp, parece que te has chocado con una farola.

—Ella me dejó besarla —fue su respuesta soñadora.

—Bueno, no vayas a la oficina así; pensarán que estás borracho —fue su reacción inmediata—. Debería sentarme y quitarte el peso de encima. De todos modos, ¿de se trata todo esto de que *"ella me dejó"*? —exigió ella, remontándose a su comentario anterior—. Ese no es el tipo de lenguaje que espero que use un sobrino mío. ¿Eres un hombre o un ratón?

—No me importa, tía Cis. Ella me dejó —repitió, recostándose felizmente en el sofá.

—Vale, bien, más tarde hablaremos de ello —descartó la idea—. De lo que quiero hablar es de ese jefe tuyo; Grimshaw.

—Grimshaw —repitió él vagamente, todavía perdido en una nube romántica.

—Sí, Grimshaw. Escucha, te dije que creía que ese nombre me era familiar, ¿verdad? Bueno, cuando lo vi, supe que tenía razón. Ahora recuerdo que estuvo involucrado en algún tipo de escándalo con un alumno suyo en aquella escuela a la que tú fuiste; No sé qué de Watlington o algo así.

—La escuela secundaria del condado —Jyp terminó automáticamente, haciendo un esfuerzo por mostrar algo de interés.

—Bueno, llegó un momento en el que se informó al jefe de que había metido a una chica en problemas y lo despidieron. ¿Qué te parece? Sabía que había algo en ese nombre.

—Cielos.

—Sabía que eso llamaría tu atención —respondió ella con satisfacción—. ¿Y qué fue todo eso de que él sacó todo ese dinero? No consigues tanto dinero con tu paga del servicio civil, al menos no lo recibías cuando yo estuve allí.

—Ah, no sabes ni la mitad, tía. Y procedió a ponerla al día sobre sus recientes descubrimientos en la oficina, entregándole ejemplos de sus hallazgos para que ella los viera.

—Eso lo explica —reflexionó, examinando las cartas—. ¿Me pregunto a qué está jugando? Yo vigilaría tus pasos, si fuera tú, Jyp. Si tienes razón, podría estar ganando una pasta dejando entrar a todo tipo de villanos. Tenemos que demostrarlo antes de hacer cualquier cosa.

Cuando él cambió su posición torpemente, ella se ablandó —Lo siento por tus calzoncillos. No sé qué pasó. —Ella ocultó una sonrisa— Si me los dejas, los enviaré a tu madre para que los cuide.

Estaba a punto de entregarle los restos andrajosos cuando de repente lo recordó —No te preocupes, tía. De todos modos no son míos. Hice un intercambio con alguien de la oficina.

—Oh —sonrió ella— es igual. Él ya no los volverá a usar, ¿no? ¿Quieres que te ponga pomada en tus partes, ejem; doloridas?

—No, no te preocupes por eso —dijo apurado —. Yo me ocuparé. ¡Me retiro! Buenas noches, tía Cis.

—Me parece bien. Vamos, tal vez después de una buena noche de sueño, podamos pensar en alguna forma de resolverlo entre los dos.

Por la mañana, sin tener una idea más clara de qué hacer, Jyp estaba más preocupado por asegurarse de llevar unos calzoncillos decentes. Devanándose los sesos, repasó los detalles en su mente sobre lo que sabían sobre Grimshaw y estaba a punto de irse a la oficina cuando se le ocurrió.

—No sabemos el nombre de la chica que mencionaste, ¿supongo? Ya sabes, a la que él metió en problemas.

—Déjame ver —su tía mordía pensativa su bolígrafo mientras terminaba de escribir una postal para su hermana—. Creo que se llamaba Maggie no sé qué. Déjamelo a mí, lo pensaré—. Conociendo su notable fondo de recuerdos, Jyp se contentó con dejarlo así. —Por cierto —le preguntó ella— ¿quieres que le explique a tu madre lo que le pasó a tu bonito par de calzoncillos?

Jyp se estremeció, sabiendo lo que probablemente pasaría si su padre se enterara.

—Ni siquiera menciones la palabra, tía. Nunca más dejarían de hablar de ello.

Pero pronto descubriría que su tía no era la única que quería saber.

Justo cuando entró en la oficina, Julie miró hacia arriba y le advirtió —El viejo quiere verte de inmediato, Jyp. Algo que ver con tus... ejem... —miró a su alrededor con cautela— ya sabes, lo que llevabas puesto ayer.

Con una expresión de inocencia, Jyp llamó a la puerta —¿Quería verme, señor?

—Ah, sí; Jefferson, entra. Siéntate, oh —se interrumpió apresuradamente—, a menos que te resulte más conveniente estar de pie.

Jyp obedeció, esperando escuchar el motivo de su llamada.

Grimshaw se aclaró la garganta y jugueteó con sus papeles. —Tengo entendido por un informe de ayer en la comisaría de policía que no llevabas... ejem... ninguna droga ilegal, ni nada de eso; pero lo más importante es que no llevabas... ejem... ropa interior. ¿Es cierto?

Aliviado de saber que el registro del día anterior en la oficina no había sido detectado, Jyp se animó y trató de descartar el tema alegremente —Sí, mi tía me convenció de que no me los pusiera porque hacía calor. Verá, ella es una de esas personas saludables que les gusta el aire libre.

Grimshaw se aclaró la garganta de nuevo — Bueno, sea cual sea la razón, tu reciente... ejem... comportamiento me convence de que debemos volver a nuestra rutina habitual de ejercicios al aire libre como base para una vida saludable.

Ansioso por evitar que surgiera el tema de su allanamiento, Jyp estuvo de acuerdo rápidamente —Estoy listo —interrumpió inquisitivamente—, siempre y cuando no interfiera con nada que tenga en mente para nuestra nueva secretaria, la señorita... ejem...

Levantándose de su asiento, Grimshaw tosió — Me temo que la experiencia de ayer resultó ser demasiado para la señorita Plackett y... ejem... lamento decir que después de su experiencia en la comisaría, ha decidido buscar empleo en otro lugar.

Así que —volviendo a su tema favorito—, como estaba diciendo, debemos volver a ese excelente ejercicio, comenzando a correr de inmediato. ¿Estamos listos? Comenzamos ahora.

Jyp se puso de pie de mala gana y siguió su ejemplo, colocándose detrás de Grimshaw mientras salía de la oficina. Pasando junto a Julie, levantó las cejas expresivamente y ella trató de no sonreír, agradecida de estar libre de más dictados durante un breve período al menos mientras hacían ejercicio alrededor del edificio de oficinas.

Pero como sucedería posteriormente, estaban a punto de detenerse por una nota inesperada de gran dramatismo que ninguno de los dos esperaba.

Resoplando en la recta, cuando la entrada de su oficina apareció en la distancia por segunda vez esa mañana, Jyp se quedó petrificado de repente por el sonido de una voz familiar que vino flotando desde lo alto de un autobús turístico que pasaba.

—¡Yuju, Jyp!

Sacudido por encima de su cansancio, Jyp echó un vistazo y se quedó helado al ver a la última persona que esperaba ver de nuevo en su peor pesadilla saludándolo —¡Patience!

—¿Quién era esa? —Grimshaw miró por encima de su hombro en busca de una respuesta, pero Jyp ya lo había pasado por el otro lado, corriendo a toda velocidad hacia el refugio de la oficina como si su vida dependiera de ello.

Detrás de él se oyó un chirrido de frenos y un camión se estrelló contra la parte trasera del autobús turístico mientras el conductor acosado intentaba frenar en respuesta a las insistentes demandas que le llegaban desde la cubierta superior.

Saltando del autobús mientras este trataba de evitar una colisión frontal con otro autobús, Patience miró frenéticamente a ambos lados de la calle para localizar a su presa. En su prisa por reanudar la persecución, Patience casi derriba a un hombre de su bicicleta cuando pasaba tambaleándose.

—¿Hacia dónde se ha ido? —exigió Patience—, ¡debo encontrarlo!

El hombre se incorporó aturdido y se le unió el conductor del autobús agraviado que quería saber a qué pensaba ella que estaba jugando.

—Oh, no tengo tiempo para discutir contigo —Patience perdió los estribos—. Lo buscaré yo misma —y haciendo a un lado a los espectadores, caminó por la calle en busca de señales de Jyp, seguida de gritos de «¿y qué pasa con mi autobús?» y «¿qué hiciste con mi bicicleta?»

De vuelta en la oficina, Julie se sorprendió por la repentina aparición de Jyp que atravesó la puerta jadeando. Limpiándose la frente, luchó por recuperar el aliento —Ahora no te lo puedo explicar. Si alguien pregunta por mí, dile que estoy fuera... que he emigrado... dile lo que quieras.

Con expresión desconcertada, Julie preguntó —¿Qué ha pasado con el Señor Grimshaw? ¿Está contigo?

—Grimshaw no importa —jadeó Jyp—. No lo entiendes, tengo que esconderme, ¡ella me está buscando!

—¿Quién? —Julie insistió, tratando de sacarle algo de sentido.

—Es esa diabla, Patience; apareció de la nada. No puedo alejarme de ella. Tienes que ayudarme, Julie.

—Bueno, no te quedes ahí, Grimshaw volverá en un minuto —Julie trató de ser práctica en un intento de calmarlo—. ¿Por qué no buscas un lugar en el piso de arriba? Ya sé, ¿qué me dices de esa oficina que te iba a dar? Puedes ver la calle desde allí. Vamos —mientras él vacilaba—, puedes contármelo más tarde. Date prisa, creo que es Grimshaw.

Jyp no vaciló más. —Gracias—. Él le lanzó una mirada de gratitud y desapareció de su vista, justo cuando Grimshaw llegaba sin aliento.

—¿Has visto a Jefferson? —demandó—. Ese hombre debe estar loco. Un minuto estaba allí y al minuto siguiente desapareció. ¿Ha vuelto?

—Si me concede un momento, haré algunas averiguaciones, señor —respondió diplomáticamente—. Mientras tanto, ¿puedo traerle una taza de té? Le traeré una ahora mismo.

—Sí, hágalo —él retorció un pie para comprobar algo—. Creo que me he torcido el tobillo, persiguiendo a ese joven idiota. Creo que voy a sentarme. —Mientras se alejaba cojeando, ordenó —Dígale que quiero verlo inmediatamente en cuanto regrese.

—Sí, señor —le tranquilizó ella—. En cuanto lo vea y le traeré un vendaje para el tobillo.

Apaciguado, Grimshaw se dirigió lentamente hacia su oficina.

Arriba, Jyp miraba con miedo por la ventana; luego, incapaz de ver nada, se inclinó sobre el alféizar para tener una mejor vista.

Casi de inmediato se escuchó un grito de reconocimiento —¡Jyp! ¡Soy yo! ¡Patience! ¡Yuju!

Temblando, Jyp se escondió fuera de su vista, derribando una silla presa del pánico.

En su oficina de abajo, Grimshaw estaba llevándose una taza de té a los labios cuando el repentino ruido en la habitación de arriba le hizo derramar el contenido sobre su traje.

—Julie —gritó mientras ella asomaba la cabeza —, ¿qué diablos es ese ruido?

—Probablemente haya ratones después de que limpiáramos esa oficina —sugirió esperanzada.

—Tonterías. Hay alguien ahí arriba. Puedo oírlo

—hizo una mueca mientras trataba de levantarse y gritó con petulancia —Bueno, que alguien vaya a ver.

—Sí señor, inmediatamente. Se lo pediré a Reg, que trabaja en la tienda.

Refrenando su curiosidad, Julie decidió que no era un asunto que pudiera explicarse fácilmente por teléfono y por consiguiente, se dirigió a la tienda, ensayando mentalmente lo que tenía que decir.

—Que hizo... ¿qué? —el rostro de Reg emergió asombrado detrás de un mar de paquetes medio abiertos esparcidos a su alrededor en el suelo.

—Sé que suena un poco extraño —se disculpó Julie—, pero el señor Grimshaw insistió bastante.

—Creo que sería mejor viniendo de ti, Reg —añadió persuasivamente—. Jyp parece tener algún problema con las mujeres en este momento—. Luego, rindiéndose, ella admitió —No sé qué le está pasando.

—Está bien, Señorita Julie. Deme un momento mientras salgo de esta basura —trepando hacia arriba, le ofreció una sonrisa comprensiva—. No se preocupe, iré a solucionarlo. Supongo que este lugar lo deprime. Nos pasa a todos al final.

Agachado por debajo de la ventana, Jyp estaba experimentando con un pequeño espejo atado a un palo que había descubierto en uno de los cajones del escritorio y lo estaba colocando para tener una mejor vista de la calle cuando un golpe en la puerta hizo que se cayera. Recogiendo los pedazos mientras murmuraba una maldición, Jyp todavía estaba chupándose la mano cuando una cabeza cautelosa asomó por la puerta.

—Soy yo, Reg. ¿Puedo entrar?

—Sí, pero mantén la cabeza gacha. No quiero que nadie me vea.

Reg miró alrededor de la habitación vacía, desconcertado. —¿Quién va a... aquí?

—Aquí no, idiota. En la calle. Mira si puedes ver a una mujer ahí abajo.

Mirando afuera, Reg agitó la cabeza. —Dos docenas, por lo que puedo ver. ¿Cómo es ella?

Con un suspiro, Jyp se levantó y usando a Reg como escudo, echó un rápido vistazo por encima del hombro y se estremeció.

—Ella todavía está ahí. ¿Qué voy a hacer?

Reg agitó la cabeza, dubitativo. —Estaría mal que no te lo dijera, amigo, pero por lo que sé, el viejo se está volviendo loco allí abajo y si no vas y averiguas lo que quiere, la Señorita Julie se meterá en problemas.

Eso fue todo. Jyp respiró hondo y enderezó los hombros. —En ese caso, será mejor que vaya a explicarme.

Reg le dio una palmada en la espalda. —Vamos. Toma, bebe un trago de esto para seguir adelante —

le entregó un frasco—. Caramba, lo necesitas para mantenerte cuerdo en este lugar.

Después de un trago, Jyp tosió y se lo devolvió agradecido. —Gracias, Reg.

—Para eso estamos. Avísame si quieres ayuda y pensaré una excusa para echar una mano. Incluso traeré mi móvil y contaré los cadáveres.

—Podría necesitarlo —Jyp hizo una mueca y se dirigió hacia la puerta.

—Ah, ahí estás Jefferson, por fin —Grimshaw se incorporó con una mueca respondiendo al sonido de su llamada—. Tengo que arreglar cuentas contigo. ¿Qué diablos ha pasado ahí fuera? Se suponía que iba a ser para tu beneficio y todo lo que has hecho ha sido provocarme una lesión en el tobillo. Explícate.

Antes de responder, Jyp se acercó a la ventana y echó un vistazo rápido, esperando contra toda esperanza que ella se hubiera rendido y se hubiera ido a casa. En ese momento, se reanudó la circulación, revelando que Patience todavía estaba allí. Antes de que pudiera alejarse, ella examinó las ventanas de nuevo y al verlo, comenzó a saludar frenéticamente. Contra su voluntad, observó fascinado cómo ella abría la cremallera de una bolsa y sacaba un megáfono que había tomado prestado del guía turístico.

—¡Soy yo, Patience! ¿Puedes oírme? ¡Sé que estás ahí!

Jyp se estremeció y se arrodilló, rezando para que se rindiera y se fuera.

Desafortunadamente, tuvo el efecto contrario. El anuncio fue tan fuerte que hizo eco a ambos lados de la calle, lo que provocó que los transeúntes se detuvieran y miraran hacia arriba para ver dónde estaba señalando ella. Y aún más vergonzosa fue la reacción de alarma de su jefe.

—¿Qué está pasando ahí abajo? ¿Quién es esa mujer?

Echando otro vistazo rápido, Jyp entró en pánico. —¡Me está persiguiendo!

Como todo el mundo sabe, el jefe de uno de los principales departamentos de seguridad del país y además uno de primera línea, no tiene la costumbre de mostrar miedo ante la adversidad, pero nadie se había tomado la molestia de decírselo al señor Grimshaw. Contagiado por las acciones de Jyp, se encontró atraído por la ventana, olvidándose de su tobillo en su búsqueda de información.

Humedeciendo sus labios, preguntó nerviosamente —¿Qué es lo que quiere?

Jyp tragó saliva: —Ella quiere que yo...

—¿Qué?

—...me case con ella.

Grimshaw se enderezó y se limpió el polvo con un suspiro de alivio. —¿Por qué no lo dijiste? ¿Eso es todo? Mi querido amigo, no hay necesidad de esconderse así. Ve y habla con ella de manera sensata y razona con ella. No va a morderte.

Jyp soltó un gemido hueco —Lo he intentado. Incluso le he dicho que soy gay para desanimarla.

—¿Qué dijo ella a eso?

—¡Me persiguió por el pasillo y amenazó con matarme!

El otro tosió. —Bueno, debo admitir que eso es un poco inusual. Vamos ahora, déjame bajar contigo y tener unas palabras con esta joven —agitó una mano con un gesto de tolerancia—, no podemos tener este tipo de disturbios fuera de nuestra propia oficina. Vamos, debo insistir.

Aterrado ante la propuesta, Jyp mostró un rostro afligido, desesperado por pensar en una excusa.

Sintiendo los efectos de la bebida, miró hacia afuera de nuevo y por un momento pensó que veía doble. Mientras él se aferraba a la ventana, dos imágenes de Patience oscilaban arriba y abajo frente a su mirada aturdida, antes de fundirse en una nuevamente. En un destello de inspiración, soltó —No es solo ella, es su prima, es incluso peor. Ha prometido vengarse porque sufrió a manos de un hombre. Ella también quiere matarme.

Grimshaw soltó una risa divertida —¿Y quién es esa otra dama que te aterroriza? ¿Tiene nombre?

Jyp tragó saliva: —Se llama Maggie.

Al mencionar el nombre, la sonrisa de superioridad que tenía se borró instantáneamente y al momento siguiente estaba agachado junto a Jyp, tirándole de la manga.

—¿M-Maggie has dicho? ¿Estás seguro?

Aferrándose a la cuerda de salvamento, Jyp volvió a pensar en los detalles que su tía había descubierto.

—Sí —recordó con entusiasmo—. Aparentemente un hombre, un entrenador físico, tengo entendido; la llevó por mal camino y su madre nunca lo ha perdonado. —Levantando la vista inocentemente, exclamó— Bueno, eso es lo que era usted, ¿no es así, señor Grimshaw?

—Eso no importa, Jefferson, eso no tiene nada que ver —dijo apresuradamente su jefe.

Fueron interrumpidos por un grito repentino que venía de fuera. Temblando, Grimshaw le insistió —Ve a ver qué quieren, Jefferson. Date prisa, hombre.

Obedientemente, Jyp se incorporó y miró hacia fuera con cautela. —Ahora hay casi una multitud ahí fuera. Oh, espere un minuto, ella está mostrando una especie de mensaje.

—¿Qué dice, hombre?

—Estoy tratando de leer... algo sobre que se haga justicia. Creo que está intentando que asalten el edificio.

—Tenemos que detenerlos, ¿qué podemos hacer? —Grimshaw miró a su alrededor con desesperación, buscando una solución—. Ya sé —se acercó cojeando a su escritorio y agarró un fajo de billetes —. Ve, Jefferson, a ver si esto los detiene.

Los amontonó en los brazos de Jyp y señaló hacia la ventana. —Date prisa, hombre, yo no puedo hacerlo. Mira a ver si este fajo se deshace de ellos. Este maldito tobillo me está matando —su rostro palideció ante su desafortunada elección de palabras.

Parpadeando, Jyp abrió la ventana y tiró el dinero, creando una lluvia de billetes que revoloteaban hacia una fila de rostros asombrados debajo.

—Bueno, ¿qué están diciendo?

Aprovechando la oportunidad, Jyp arrimó la oreja a la ventana y se volvió, levantando las manos. —No es bueno, buscan sangre —hizo una pausa para ver cómo bajaba y recordando algo que Reg le había dicho cuando se conocieron, cruzó los dedos.

—Creo que dijo que su madre solía actuar en el escenario como lanzadora de cuchillos. Eso fue antes de que tuviera que renunciar a ello debido a su vista, por supuesto.

Grimshaw tragó saliva y se agarró el brazo. —¿Está ella ahí abajo ahora?

Echando otro vistazo, Jyp informó brillantemente —Creo que sí, hay alguien practicando en un saco de arena. Dijo algo sobre querer una confesión y llamar a la policía.

—¡La policía! —Grimshaw cayó de rodillas—. Tienes que detenerlos. No lo entiendes —sus palabras comenzaron a fluir en sus frenéticos esfuerzos por sacarlas de su pecho—. Haría cualquier cosa para mantener alejada a esa mujer. En primer lugar, nunca quise meterme en este negocio del espionaje. Todo fue por esa mujer.

En ese momento, la puerta se abrió y Reg asomó la cabeza. —Disculpe señor, hay un sargento de policía que quiere hablar con usted.

Jyp chasqueó los dedos para atraer su atención y levantó las manos, haciendo los movimientos como si sacara una foto. Con la esperanza de que Reg captara el mensaje, se volvió con dulzura hacia Grimshaw —Estoy seguro de que lo entenderán, señor. Por cierto, ¿qué estabas diciendo? ¿Algo sobre que fue chantajeado? ¿Quién lo hizo?

Grimshaw se agarró a un clavo ardiendo y empezó a balbucear —Todo fue culpa de C. Nunca quise ser parte de eso. Él me hizo pasar de contrabando a todos esos ilegales, de lo contrario amenazó con delatarme.

Su voz se apagó cuando vio el móvil de Reg y se detuvo, horrorizado por la facilidad con que lo habían engañado. Haciendo acopio de su disperso ingenio, se olvidó de su tobillo en un frenético

esfuerzo por escapar, deteniéndose solo para recoger un paquete de billetes mientras se lanzaba
hacia la puerta, cerrándola de golpe tras él.

Entregándole su móvil, Reg resumió la situación
con una sonrisa. —¡Eso es lo que yo llamo un caso
abierto y cerrado!

8

UNA NOCHE PARA RECORDAR

Julie se apresuró para ver qué estaba pasando y vio a Jyp tratando de levantarse y voló a su lado.

—Oh, Jyp, cariño, ¿estás bien? ¿Te ha hecho daño?

—No, estoy bien, de verdad —protestó Jyp, recomponiéndose—. ¿Dijiste cariño?

—Eso no importa —le regañó, olfateando el aire y retrocediendo. ¡Has estado bebiendo!

Reg avanzó apresurado, brindándole su apoyo. —Solo una gota, Señorita Julie, solo para ayudarlo a recuperarse del jefe; nuestro exjefe, debería decir —se autocorrigió.

Julie miró a su alrededor, desconcertada. —¿Qué ha pasado? ¿Dónde está el señor Grimshaw? Parece como si un ciclón hubiera azotado el lugar.

—Está asustado, eso es lo que pasa —alardeó Reg con satisfacción, sosteniendo su móvil—. Gracias a Jyp tenemos todas las pruebas que necesitamos. Escucha esto.

Reprodujo los detalles de la confesión hecha por Grimshaw.

—¿Eso es verdad? —Julie se volvió hacia Jyp, su rostro se iluminó—. ¿Cómo lo conseguiste?

—Bueno, simplemente le recordé algunos de sus turbios tejemanejes —comenzó Jyp modestamente.

Pero antes de que pudiera continuar, Julie le rodeó el cuello con sus brazos alegremente. —Eso significa que ya no habrá más penosos dictados. Sabía que había algo raro en él. Mira todo ese dinero que ostentaba, lo que me recuerda que el sargento todavía está esperando afuera una explicación sobre todo ese dinero que salió por la ventana. Provocó un imponente atasco de tráfico ahí fuera. Será mejor que vaya a verlo.

Mientras ella se iba, miró por encima del hombro. —Por cierto, esa amiga tuya te dejó una nota en mi escritorio. Será mejor que vengas a ver lo que dice.

Tragando saliva Jyp la siguió nervioso y con manos temblorosas, abrió el sobre.

Mientras tanto, Julie logró apaciguar al sargento con una explicación apresurada y la promesa de hacer un informe completo. Luego cerró la puerta detrás de él y se apoyó contra ella con un suspiro de alivio.

—Bueno, ya está. Entonces —se volvió hacia Jyp ansiosa por escuchar sus noticias—, ¿qué dice? ¿Ha dejado de perseguirte o esperamos otra visita?

Ella le dio un codazo mientras él se sentaba allí con la mirada vidriosa en su rostro, perdido para el mundo.

—Vamos, cuéntanos lo peor.

—¿Eh? —Jyp se recuperó lentamente y habló débilmente— Nunca lo adivinarías.

—Date prisa, tengo que llamar a la Oficina Central para contarles la terrible noticia.

—Después de toda esa persecución, todo lo que quería decirme era...

—Vamos, suéltalo. No, no me lo digas —supuso—, está amenazando con entrar en un convento.

—¡No, ha decidido casarse! —consiguió decir, con una mirada de felicidad en su rostro.

—¿Qué? ¿Cómo puede, mientras tú estás escondido aquí?

—No me refiero a casarse conmigo —la corrigió apresuradamente—. ¡Ha recibido una propuesta del señor Benson! ¡Impensable!

—¿Qué? Pensaba que era su jefe. Debe tener la edad suficiente para ser su padre, por lo que estás diciendo.

—No me importa la edad que tenga. ¡Se va a

casar con el viejo Benson! —agitó los brazos con alegría—. Eso significa que soy libre. ¿Quién lo hubiera creído?

—Bueno, ahora que hemos solucionado ese pequeño problema, ¿qué le vas a enviar como regalo de boda?

Miró tímidamente hacia arriba. —Dice que gracias a todo ese dinero que tiramos por la ventana, va a pagarlo todo: la recepción de la boda y todo eso.

—Bueno, no creo que sea bueno que mencionemos eso en nuestro informe —decidió Julie, pensativa.

—Creo que será mejor que demos la noticia sobre Grimshaw y demos por terminado el día. No puedo esperar para contárselo a papá. Caramba, esto les dará algo de qué hablar en la Oficina Central. Me pregunto en quién pensarán a continuación.

Por una extraña coincidencia, ese tema en particular se discutió más tarde ese día en el mismo corazón de la institución.

—Oye, Binky, ¿qué es todo eso del viejo Grimshaw, tu cuñado? Me ha dicho un pajarito que se ha convertido en un despreciable fracasado.

—Ni me lo recuerdes, viejo amigo. En verdad, es

un asunto muy turbio.

—¿Muy turbio? ¿Por qué, qué ha pasado?

—Solo porque le dimos el trabajo, pensarías que su Señora estaría agradecida.

—¿Y no lo estaba?

—Lo estaba hasta que el viejo Grimshaw hizo una tontería.

—¿Y eso por qué?

—Descubrieron que estaba dejando entrar a los ilegales, en lugar de mantenerlos fuera.

—Así que eso no fue bien recibido.

—Ella dijo que en primera instancia fue culpa nuestra darle el trabajo. Incluso tuve que irme sin mis privilegios.

—Pobre hombre.

—Me refiero a mi tostada y mi mermelada. Solo me dio una rebanada esta mañana. Eso ya te da una idea.

—No importa, al menos ya no lo veremos más hacer su horrible interpretación de Papá Noel en nuestra oficina.

—Y todo por culpa de ese hombre nuevo que hay allí, según he oído.

—Sí, estoy feliz de decir que introducirlo allí fue uno de nuestros mejores movimientos.

—No seas modesto, Binky, fue tu movimiento brillante.

—Oh, yo no diría eso, Trevor, viejo amigo.

—Pero Binky, sabes muy bien que nadie se acercará al lugar ya que él estuvo allí. El viejo Blenkinsock de Personal me dice que ha tenido media docena de espías pidiendo a gritos que se entreguen tan pronto como se enteren de que tenemos sus nombres para el trabajo.

—Es verdad. Ha hecho un trabajo de primera clase allí. ¿Cómo se llamaba, Jyp o algo así?

—Sí, si te acuerdas, estuvo en la escuela secundaria de Watlington.

—Bueno, supongo que no podemos reprocharle eso.

—Sabes Binky, si no te importa que te lo diga, creo que deberíamos aprovechar al máximo su éxito en el poco tiempo que ha estado allí; incluso aunque haya ido a esa espantosa escuela de la que todos hablan. Ya sé, ¿por qué no lo invitamos al próximo evento de la Embajada? Supondría un gran impulso para el viejo Departamento. Consíganos algunos buenos puntos, no debería ni preguntarlo. Quién sabe, podríamos conseguir algunos.

—Vaya, ¿por qué no pensé en eso?

—No puedes pensar en todo al mismo tiempo, viejo Binky. Seamos realistas, estás muy por encima del resto de nosotros. A veces pienso que deberías darle un poco de descanso a ese viejo cerebro tuyo; no querrás estar agotado para cuando aparezca Goodwood.

—Lo sé, viejo amigo, tienes razón. A menudo me pregunto qué harían sin mí. Y ya que estamos en ello, ¿qué pasa con esa agradable y joven secretaria que está allá abajo? Quizás podamos persuadirla de que venga también. Nos vendría bien un poco de talento en estas obligaciones sociales. Debes admitir que pueden ser un poco aburridas. ¿Recuerdas lo que sucedió cuando el viejo Brigadier como-se-llame apareció?

—Especialmente si todos se emborrachan, como lo hicieron la última vez. Será mejor que reserve algunas habitaciones para que puedan quedarse a dormir.

—Bien pensado, Trevor, viejo amigo.

—No lo pienses más. Déjamelo a mí, viejo Binky. Lo arreglaré todo.

—Sabía que podía confiar en ti, Trevor. ¿Nos vemos en el club más tarde?

—Eso espero, Binky. Esta noche me toca a mí.

El día del Baile de la Embajada llegó con una fanfarria de trompetas. Se consideraba el evento social de la temporada. Se movían influencias y se hacían discretas llamadas telefónicas hasta que se invitaba a todos los que consideraban que tenían derecho a estar allí.

No acostumbrada a tales eventos, Julie era un continuo parloteo preparándose para la noche y seguía implorando a Jyp que le dijera si estaba bien cada pocos minutos, hasta que llegó el momento de irse.

Tranquilizada en ese punto y después de darle a Jyp una inspección crítica, Julie le confió una bolsa de viaje con sus costosos zapatos de tacón alto que tenía la intención de ponerse tan pronto como llegaran y cruzó los dedos esperando que Jyp no se dejara engañar por más mujeres.

Inmediatamente cuando llegaron, un lacayo en la puerta anunció su presencia y nuestros dos oficiales de seguridad que habían estado esperando sin descanso se apresuraron a darles la bienvenida.

—Aquí están por fin —alardeó el primero, ganando al otro por una cabeza—. Mi turno, Binky. No me lo diga, usted debe ser Jefferson... *Pratbottom*, ¿el hombre del que todos hablan?

—Patbottom —corrigió Jyp automáticamente.

—Pobre, no importa —comprendió Trevor con malicia, palmeando el brazo de Jyp—. Permítame que le presente a mi jefe; llámelo simplemente Sir Archibald, si no le importa. Preferiría que no le llamaran por su título completo. Por seguridad, ¿comprende? —Luego, tímidamente— Puede llamarme Trevor.

—¿Sir Archibald? —Jyp sonrió nervioso—,

¿cómo está? Volviéndose hacia Julie —¿Puedo presentarle a la Señorita Diamond, nuestra secretaria principal?

—Es un gran placer —se apresuró a interrumpir Sir Archibald—. Lo hemos oído todo sobre el espléndido trabajo que están haciendo, ¿no es así, Trevor?

—Efectivamente, Binky. Y tenemos a todo el mundo que se muere por conocerlos.

—Bien, entonces te dejo para que hagas los honores, viejo Trevor —dijo Binky al ver que alguien lo saludaba con la mano—. Si me disculpan, les alcanzaré en un momento.

—Síganme, veamos a quiénes tenemos... Oh, caramba, es el Brigadier, por aquí. —Los condujo apresuradamente en una nueva dirección, chocando accidentalmente con un invitado de aspecto aburrido que fumaba un puro.

—Ah, aquí está el tipo, Charles. Esta es una coincidencia extraordinaria. Permíteme presentarte a nuestro último recluta, Jefferson *Pratbottom*, que está obteniendo espléndidos resultados en nuestro último centro de detección en la costa.

Los dos hombres se miraron con recelo. —¿Cómo está? —saludó Jyp, extendiendo una mano.

Agitando la mano lánguidamente, el otro respondió —Me alegro de conocerle—. Luego, al ver a

Julie, su interés se aceleró —¿Y quién es esta encantadora jovencita?

Satisfecho de haber ganado su atención, Trevor continuó parloteando —Esta es la Señorita Diamond, que está a cargo de todos los servicios de secretaria, por lo que entiendo.

—¿Cómo está, Señorita Diamond? Qué gusto conocerla —saludó a la recién llegada, inclinándose y besando su mano, lo que le dio mucha vergüenza.

—Bueno —se entusiasmó Trevor, ignorando la mirada inquisitiva de su invitado—, esta es una afortunada coincidencia. No es frecuente que tengamos la oportunidad de reunir a uno de nuestros principales jefes de espías —agitando su cabeza en dirección a Charles— y uno de nuestros últimos cazadores de espías —saludando a Jyp.

Hubo una breve pausa en la conversación mientras se ponderaban el uno al otro. Entonces Charles hizo un gesto de autocrítica con la mano. —No en este momento, Trevor. He completado mi recorrido normal y estoy buscando nuevos campos para investigar. ¿Y usted, *Pratbottom*?

—Patbottom —corrigió Jyp apresuradamente—. Me temo que solo soy un recién llegado al juego. Todavía estoy aprendiendo las normas. Cuento con este nuevo trabajo para aportar algo que valga la pena.

—Ah, ya veo que todavía tiene mucho que

asimilar.

Antes de que ninguno de los dos pudiera pensar en algo más que decir, fueron interrumpidos por una alegre figura que se les unió.

—Ustedes, jóvenes, no saben de qué trata el espionaje. Sin embargo, cuando estuve en la India, ese era el lugar donde había que estar. ¿Alguna vez se lo he contado?

Al darse cuenta de la expresión de aburrimiento en el rostro de Julie, Charles le ofreció su brazo —¿Le gustaría tomar un refresco, Señorita Diamond y tal vez dar una vuelta por el lugar?

Contenta por la oportunidad de alejarse de lo que prometía ser un tedioso debate sobre los viejos tiempos, Julie accedió rápidamente, después de una mirada de reproche a Jyp.

Encantado de tener finalmente público, el General de brigada se alisó los bigotes ante la perspectiva. Haciendo caso omiso de sus expresiones atrapadas, se puso a ello en serio. Después de cinco minutos Trevor pensó en una excusa y se alejó apresuradamente, dejando a Jyp a su merced.

—Ah, ¿qué me dice de una copita, eh *Pratbottom*? ¡Camarero! Digo yo, joven amigo, ¿le he hablado alguna vez de cuando estuvimos encerrados en el desfiladero Khyber con solo un par de mensajeros entre nosotros y los malditos rebeldes pisándonos los talones?

Cerrando apresuradamente la mano sobre su vaso, después de lo que parecieron horas más tarde para evitar que los siempre atentos camareros volvieran a llenarlo, Jyp se encontró balanceándose hacia adelante y hacia atrás, hipnotizado por las acciones del Brigadier que agitaba las manos como un mago para ilustrar las tácticas que su equipo utilizaba cuando estaban luchando espalda contra espalda y rodeados por el enemigo.

Justo cuando se preguntaba cuánto más podría aguantar, una mano delgada se deslizó bajo su brazo y una voz seductora canturreó —Bueno, Brigadier, no se apodere de nuestros invitados, hombre travieso o él no tendrá a nadie más con quien hablar. Bueno, ¿quién es este espléndido hombre? Creo que no tengo el placer. ¿Señor...?

—Patbottom... Jefferson —respondió Jyp, contento por la interrupción.

—Ah, usted es del que todos hablan —ella le apretó el brazo—. Venga conmigo, Jefferson, ¿o puedo llamarte Jeff?

—Por supuesto —tragó saliva, echando un rápido vistazo a su alrededor para ver si Julie podía verlos.

—Por cierto, soy Simone —ella le miró con los ojos agitados—, por si te lo preguntabas. Alejémonos de todos estos viejos congestionados y tomemos una copa en un lugar agradable y acogedor, nosotros solos y me podrá contar todo sobre usted. ¡Camarero, lo de siempre, por favor!

Más tarde, cuando por fin logró recobrar su disperso ingenio, se encontró en una posición aún peor, encajado como estaba contra el taburete de la barra con el pecho de ella apenas tapado presionando contra él. Preguntándose cómo se las había arreglado para meterse en una situación tan comprometedora, Jyp miró a su alrededor desesperadamente, tratando de pensar en una excusa convincente para escapar. Sin embargo, después de algunos de los especiales del barman, su resistencia comenzó a debilitarse y quién sabe qué podría haber pasado si su compañera no hubiera recibido en ese momento un llamdo urgente. Con un susurro como disculpa, Simone se deslizó de su asiento y se unió a alguien que estaba casi fuera de la vista en la entrada del bar. Jyp levantó los ojos nublados y trató de distinguir los rasgos de su compañero. Cuando se volvió, después de un breve intercambio entre los dos, Jyp vio que era Charles, el misterioso jefe de espías.

Volviendo apresuradamente con él, Simone se disculpó profusamente —Tengo que irme ahora, Jyp, pero volveré más tarde. Mientras tanto, este es el número de mi habitación; ya sabes dónde encontrarme. Llámame —ella buscó sus ojos con una mirada devoradora.

—Lo prometo —murmuró Jyp—. Si puedo —prometiéndose a sí mismo que era lo último que soñaría hacer.

Lo que parecieron horas después, Jyp logró levantar la cabeza del mostrador para encontrar las luces apagadas y el barman esperando para cerrar el bar. Se puso de pie tambaleándose con esfuerzo, se dirigió a la recepción y pidió la llave de su habitación.

Al entregársela, la recepcionista se disculpó porque el baño de su habitación no funcionaba y le entregó la llave de otro baño que estaba a lo largo del pasillo. Guardándola en el bolsillo, le dio las gracias solemnemente y se alejó tambaleándose, dejando a la empleada haciendo gestos la cabeza.

Mientras se encaramaba en la cama y cerraba los ojos con un feliz suspiro de alivio, en lo único que podía pensar era en qué habría sucedido con Julie y ese bribón de Charles que no pudo apartar la vista de ella en toda la noche. Más tarde se despertó después de soñar que Simone lo perseguía acercándose cada vez más.

Sintiendo una necesidad urgente de ir al baño, rodó fuera de la cama y caminó lentamente por el pasillo en busca de la puerta correcta. Leyendo mal el número de la llave, probó una de las puertas sin éxito y estaba dando media vuelta cuando la puerta se abrió y se encontró cara a cara con el Brigadier.

—Ah, necesitas otro trago, ¿eh? Pasa, querido amigo y tómate uno rápido conmigo. Estaba buscando una excusa para abrir otra botella.

—No, no —dijo Jyp presa del pánico—, estaba buscando el baño.

—Ah, pensándolo bien, podría ser mejor que usara el del pasillo. Te ofrecería nuestro baño, pero la señora acaba de cerrar los ojos y podríamos molestarla.

Frotándose la cara, Jyp recorrió el pasillo tambaleándose y creyendo reconocer la puerta, volvió a intentar abrirla con la llave. Esta vez la puerta se abrió antes de que pudiera sacar la llave y apareció un rostro familiar. Era Simone.

Antes de que pudiera ofrecerle una disculpa y escapar, salió una mano que lo tiró hacia dentro.

—Vaya, Jeff, qué bonito. Y yo que pensaba que te habías olvidado por completo de mí.

—No, no, no era mi intención... todo es un error. Pensé que era mi habitación.

—No importa, estás aquí; eso es todo lo que importa. Ven y siéntate aquí en el sofá y ponte cómodo mientras preparo las bebidas.

—Pero le puedo asegurar... —comenzó, presa del pánico y retrocediendo hacia la puerta.

—Oh, no seas cruel, ¿me vas a abandonar? Te he estado esperando tanto tiempo. Venga, solo un sorbito por los viejos tiempos, estoy segura de que puedes con ello— Mientras ella servía una generosa ración, deslizó una pastilla en el vaso y lo agitó antes de entregárselo.

Jyp tomó un sorbo con cautela y consiguiendo una sonrisa alentadora logró esbozar otra antes de desplomarse hacia atrás en su asiento, dejando caer su vaso. Simone lo recogió rápidamente con una sonrisa de triunfo y apartando las sábanas, comenzó a desnudarlo.

Al despertarse de noche, él sacudió la cabeza aturdido y miró alrededor tratando de recordar dónde estaba. Palpando a su alrededor con cautela, su mano entró en contacto con el cuerpo caliente y saltó petrificado.

Entonces se encendió la luz y se dio cuenta de que su peor pesadilla se había hecho realidad. Era Simone y no llevaba nada más que una sonrisa de feliz expectativa.

—Oh, cariño, he estado esperando tanto tiempo este momento. Y veo que tú también.

—¡No! Quiero decir, ¿qué estoy haciendo aquí? Es todo un error.

—Oh, no vas a irte tan pronto cuando aún nos estamos conociendo, ¿no, cariño? Su mano se deslizó y ella se acurrucó contra él.

Reteniendo un grito, Jyp saltó de la cama y buscó frenéticamente su pijama, tratando de ponérselo mientras se lanzaba hacia la puerta.

—Pero querido. ¡No me dejes!

—Tengo que irme —balbuceó—. Yo... ejem... prometí hacer una llamada...

—¿Qué? ¿A esta hora de la noche?

—No puedo quedarme aquí, la mucama se enterará.

—Bueno, dame el número de tu habitación y yo iré a verte.

Ansioso por irse, soltó el primer número que le vino a la cabeza y se dirigió hacia la puerta.

Afuera, irrumpió nuevamente a la recepcionista, quien le ofreció una mirada gélida.

—¿Puedo ayudarle, señor?

—Yo he... ejem... olvidado el número de mi habitación.

Ella consultó su lista y olfateó con sospecha, como si hubiera escuchado esa historia miles de veces antes —¿De verdad? ¿Su nombre?

—Ejem... Patbottom.

—Aquí está, justo en dirección contraria, Habitación 134. ¿Eso es todo? —ella lo miró con severidad, haciéndolo sentir como un colegial travieso delante del director.

—Sí —murmuró, buscando algo de cambio—. Lo siento, me parece que no tengo ninguna...

—Claro —ella sacudió la cabeza con desdén, tomando nota mentalmente para informar sobre él a la dirección—. Buenas noches, señor.

~

Una imitación algo atontada de Jyp bajó en el ascensor a la sala de desayunos a la mañana siguiente. Al mirar por la puerta se sintió aliviado al ver a Julie sentada sola en una mesa y se apresuró a reunirse con ella.

—Hola, Jyp. ¿Qué diablos te pasó anoche? Desapareciste totalmente, estaba bastante preocupada.

Él se sentó con cuidado y se relajó después de una rápida mirada a su alrededor en busca de signos de Simone. —Fue todo un poco confuso —confesó—. Creo que debo haberme pasado un poco con las bebidas.

Julie resopló y le lanzó una mirada desesperada: —Oh, Jyp, ¿qué vamos a hacer contigo? Apestas.

—Me sentiré mejor después de un café —admitió esperanzado. Cambiando de tema, él contraatacó —¿Y tú? Vi que ese personaje de Charles no dejaba de mirarte.

—Oh, Jyp —parecía soñadora—, es un bailarín maravilloso, no tienes ni idea—. Ella lo miró con franqueza. —Tú nunca me has invitado a bailar, ni una sola vez.

—No he tenido oportunidad —refunfuñó Jyp—. Te lo compensaré —prometió—. Parece que me han distraído otras cosas —y echó una rápida mirada a su alrededor para asegurarse de que estaban solos.

Mientras recogían su maleta en la recepción, echó un último vistazo a su alrededor y pensó para sí mismo que al menos ese hombre no volvería a molestarlos, gracias a Dios. Justo cuando estaba a punto de añadir «o cualquier otra persona», la dama a la que temía apareció en la entrada, discutiendo con dos asistentes que llevaban su equipaje e intentando en vano detener un taxi al mismo tiempo.

—Oh, mira, Jyp, ahí está esa mujer con la que estuviste bailando, ¿por qué no la llevamos nosotros?

Jyp tragó saliva y se refugió detrás de un periódico, rezando para que ella no les hubiera visto.

Para su abrumador alivio, apareció un taxi a la vuelta de la esquina y Simone lo detuvo dictatorialmente y dio instrucciones a los sudorosos botones antes de meterse dentro.

—¿Viste eso? Ella debía saber que nosotros estábamos primero. ¡Vaya insolencia!

Agradecido por el cambio de opinión, Jyp se apresuró a colocarse frente al siguiente taxi que tuvo que frenar bruscamente para evitar chocarse con él.

—Bien hecho, cariño. Gracias a Dios no volveremos a verla —fue el veredicto de Julie.

Jyp estaba totalmente de acuerdo con ella, pero de todos modos tenía la incómoda sospecha de que no era la última vez que oirían hablar de ella.

9

PADRINO DE BODA

Aunque pensaron que habían visto a Simone por última vez, sin duda ella dejó una huella imborrable en las altas esferas del gobierno británico, como nuestros dos altos funcionarios estaban dispuestos a testificar.

—Digo yo, viejo Trevor, ¿de qué se trató todo ese alboroto de anoche?

—Oh, no lo has oído. Pensé que todo el hotel lo sabía.

—Bueno, con una cosa y otra, todo fue un poco pesado, tanta gente que ver y tantas cosas que hacer.

—Lo sé, Binky, no sé cómo te las arreglas... con todas tus responsabilidades.

—Eso no importa, cuéntame, Trevor. Ponme al corriente.

—Bien, ya conoces a Simone de esa embajada suya, donde sea que esté.

—Te refieres a esa de aspecto sensual... a esa atractiva dama con ese enorme... ejem... portafolios.

—Bueno, dos portafolios para ser precisos, amigo. De todos modos, escuché esto de la joven del mostrador de recepción, estaba muy molesta.

—Sí, estoy seguro de que lo estaría... pero ¿qué pasó?

—Te lo voy a contar. Aparentemente, en medio de la noche, Simone fue y llamó a la puerta de... no te lo pierdas... nuestro amigo el Brigadier.

—No.

—Totalmente cierto. Con un ligero camisón y todo y esto es lo mejor.

—No puedo esperar, continúa.

—¡Bueno, en lugar del Brigadier, se encontró a su mujer!

—No, ¿qué dijo Simone?

—Oh, un cuento chino sobre que estaba buscando a otra persona.

—Apuesto a que eso no le sirvió para mucho.

—Tengo que pensarlo... la mujer estaba lívida. Dijo que siempre sospechó que él se estaba viendo con alguna fulana.

—¿Y lo había hecho?

—¿El Brigadier? Estás bromeando, la última vez que se vio involucrando en alguna actividad deportiva fue en los días del motín hindú, cuando estaba sacando tigres del lomo de un elefante.

—Entonces, ¿cómo acabó la cosa?

—Bueno, todo terminó en una pelea de difamaciones. Hacían tanto ruido que la mitad del pasillo las podía oír. Incluso el viejo Brigadier salió tambaleándose para ver qué pasaba. El resultado final fue que la tal Simone fue requerida por su embajada y dudo que el Brigadier se atreva a presentarse de nuevo en alguno de nuestros eventos.

—Supongo que eso es algo por lo que estar agradecido. Sin embargo, es una pena lo de Simone. Sabía cómo hacer las cosas con un *swing*... ejem... me refiero a hacer que las cosas funcionen... ejem... en las relaciones sociales, por supuesto.

—Sé lo que quieres decir, Binky, ¿no lo sabemos todos? Ese amigo tuyo, ese super espía, estaba furioso al respecto. Parece que era un gran amigo suyo.

—¿Lo era? Eso me recuerda que parecía muy interesado en ese problema nuestro en Plumpton.

—Lo sé, me di cuenta de que no podía apartar los ojos de ella.

—No, me refería a lo de conseguir un sustituto para el viejo Grimshaw, estaba particularmente interesado en aceptar el desafío.

—Sí, ella era todo un personaje, ¿verdad?

—De todos modos, aproveché la oportunidad.

No es frecuente que veamos a uno de nuestros mejores espías formando equipo con uno de nuestros mejores cazadores de espías, ¿verdad?

—Sí, tengo que admitirlo, viejo Binky, lo has vuelto a hacer.

—Muy amable por decirlo, Trevor. Me pregunto cómo se llevarán juntos.

—Si es una de tus ideas, Binky; no puede fallar.

Había un mensaje esperando a que Jyp y Julie regresaran a la oficina diciendo que su nuevo jefe se uniría a ellos al día siguiente.

—Me pregunto quién será esta vez —suspiró Julie—. Supongo que será otro de esos tipos jubilados que sacan de los estantes y les quitan el polvo.

—Debo contárselo todo a mi tía. Debe haberse cruzado con algunos de ellos cuando estaba en el servicio —asintió Jyp.

—Bueno, no tiene sentido quedarse aquí —decidió Julie—. Revisaré la oficina y me aseguraré de que esté ordenada y luego podríamos ir a casa.

Después de una rápida inspección, Jyp estaba a punto de cerrar la puerta tras de sí cuando un trozo de papel atrapado por la corriente de aire cayó ondeando al suelo. Recogiéndolo, Jyp se lo guardó en el bolsillo, con la intención de mirarlo más tarde y se olvidó de él inmediatamente antes de unirse a ella en la salida.

∿

No se acordó hasta la mañana siguiente, cuando su tía lo encontró después de poner sus pantalones a lavar.

—¿Qué es esto? —quiso saber su tía—. Parece una especie de mensaje, lo que queda de él, después de haber pasado por la lavadora. Lo siento. Toma, echa un vistazo.

Jyp recogió los restos raídos y silbó —Vaya, alguien la tenía tomada contra el viejo Grimshaw. Le dice que pague o será castigado. Firmado —miró la letra desteñida —parece una C mayúscula.

—C, ¿eh? —repitió pensativa su tía—. Eso suena como una de las señales taquigráficas que solían usar en el Cuerpo de Bombarderos, C para Charlie y todo ese tipo de cosas.

—Antes de mis tiempos —dijo Jyp con descaro.

—Podría ser eso —comentó su tía—. Pero eso es todo lo que tenemos por el momento.

Tendremos que esperar y averiguar quién es tu nuevo jefe y ver si puede arrojar algo de luz sobre ello.

Inmediatamente cuando entró en la oficina,

todo estaba lleno de especulaciones sobre quién sería él.

Julie se mostró optimista después de escuchar los rumores por teléfono y se abrazó a sí misma con anticipación, a punto de compartir el chisme.

—Desembucha, señorita —insistió Reg, cuando captó un indicio de su emoción.

—Todo lo que escuché es que es mucho más joven que nuestro director anterior —advirtió Julie y luego, incapaz de guardárselo para sí misma, se rio —, pero dicen que es terriblemente guapo —mirando a Jyp de reojo para ver cómo reaccionaba.

Pero Jyp ya estaba repasando una carta que acababa de recibir y se estaba poniendo más y más pálido minuto a minuto con el contenido.

—¿Qué pasa, Jyp? —preguntó dulcemente, esperando compartir buenas noticias.

—No es nada —tragó saliva, guardándola rápidamente—. Nada importante.

Se quedó allí parado, incapaz de pensar por un momento. Luego dijo —Lo siento, ha surgido algo. Debo salir un momento. —Al ver la mirada interrogante de Julie, añadió apresuradamente— Mi tía.

—No pasa nada malo, ¿verdad?

—No, no —se frotó la frente—. Después te lo cuento todo.

—Bueno, dale nuestro amor... —pero el resto de sus palabras se perdieron al salir él disparado de la oficina y bajar las escaleras tambaleándose. Fuera, se apoyó un momento contra la puerta principal preguntándose qué demonios debería hacer. Echando otro vistazo a la carta, leyó de nuevo la última frase: «He roto con Howard. Debo verte de inmediato. Nos vemos afuera a las diez en punto». Volvió a revisar la carta para asegurarse de que no estaba soñando y se estremeció al ver la firma: «Patience». La idea de que Julie se enterara y volviera a pasar por todo eso... Puf. Y además después de ese episodio espantoso en el hotel con Simone. Su mente se quedó en blanco.

Unos minutos más tarde, después de caminar de un lado a otro, vio aquella figura familiar acercándose a él. Lanzando una rápida mirada a su alrededor y viendo la entrada al café en el que había estado recientemente con Julie, consiguió ofrecerle una débil sonrisa de bienvenida y la agarró del brazo llevándola adentro.

Mientras tomaba una taza de café para calmar sus nervios, soportó un largo y confuso relato de cómo el Señor Benson o Howard, como ella lo llamaba, la había tratado y cómo había seguido su cambio de opinión y cómo la había dejado para que lo organizara todo y qué terrible lío era todo y cómo se había perdido sus preciosos momentos con su viejo amigo, Jefferson, presionando su brazo para enfatizar sus palabras: «su mejor amigo y el único que la había apoyado y comprendido cómo ella se sentía realmente».

Incapaz de soportar mucho más, Jyp la interrumpió —¿Qué ha pasado?

Al ver que sus largas y prolijas explicaciones no se tenían en cuenta, Patience, de mala gana; fue al grano.

—Han enviado a su padrino de bodas al extranjero y no puede encontrar a nadie que lo sustituya. ¿Qué podemos hacer? Nos ayudarás, ¿verdad, Jefferson? No puedo pedírselo a nadie más.

Jyp tragó saliva. —No querrás decir...

—Oh, sabía que podía contar contigo, querido Jefferson. De lo contrario, solo quedaremos nosotros dos juntos en el estante de nuevo, como en los viejos tiempos. ¿No sería divertido? Pero no debo aumentar tus esperanzas, querido. Debes ser valiente y sacrificar tus anhelos y saber que tu acción desinteresada asegurará mi futura felicidad. —Ella colocó con fuerza una carpeta en sus manos temblorosas—. Toma, sabía que no me decepcionarías. Todos los detalles están ahí. Mañana a las dos de la tarde en Finsbury Circus, no puedes faltar. Y ahora debo volar, adiós.

Jyp regresó lentamente a la oficina, con una terrible agitación mental. ¿Y si aceptaba intervenir como padrino? Suponiendo que Howard cambiara de opinión en el último momento, se esperaría de él que hiciera lo correcto y llenara el vacío... cualquier cosa menos eso. Pero si no lo hacía —su cerebro torturado se tambaleó ante la espantosa perspectiva—, Patience tendría total libertad para perseguirlo de nuevo. No era bueno, tendría que hacer de tripas corazón y decírselo a Julie. Pero primero, necesitaba un trago fuerte que le ayudara a afrontar la tarea.

Pero no sirvió para nada. Cuando intentó decírselo al regresar a la oficina, ella desplazó sus explicaciones a un lado, entusiasmada con su nuevo jefe.

—Quién lo hubiera imaginado —lo saludó emocionada—. Resulta que es ese superespía que conocimos en el evento de la embajada, ese hombre atractivo, Charles Morris.

—Oh, un bailarín de la danza Morris, ¿eh, señorita? —bromeó Reg, oyéndolo.

—No, es un bailarín maravilloso —dijo Julie con frialdad—. Suena su timbre de nuevo, voy a ver qué quiere—. Dicho esto, comprobó su maquillaje en el espejo y recogiendo su cuaderno de notas, se apresuró a contestar la llamada.

Dejado a merced de sus propios recursos, Jyp cavilaba sobre su desgracia. Justo cuando pensaba que había encontrado a la chica que había estado buscando, aparece un personajillo y la hace perder el control. Como si él no tuviera suficiente de qué preocuparse, con la amenaza de Patience sobre él y el recuerdo de ese espantoso encuentro con Simone en el hotel, no soportaba pensar en ello.

Sus sentimientos encontrados fueron interrumpidos por la visión de Julie saliendo de la oficina de Morris, con el rostro envuelto en sonrisas.

—Charles, me refiero al señor Morris, quiere verte, Jyp.

—Oh, muy bien. Tratando de ignorar el hecho de que ella ya estaba familiarizada con su nuevo jefe, Jyp luchó contra su instintivo disgusto por la situación y obedeció la convocatoria.

—Ah, Jefferson. —Morris le indicó distraídamente que se sentara en una silla frente a su escritorio.

Jyp lo miró con recelo. Ahora podía entender por qué Julie lo encontraba tan fascinante. Sus rasgos sensibles y sus ojos marrones nostálgicos le habrían conseguido una audición instantánea para cualquier musical romántico en el West End y habría tenido una manada de mujeres adorándolo, haciendo cola y suspirando por su autógrafo.

—Quería usted verme, señor.

—Sí —su nuevo jefe parecía preocupado—. Lo siento, solo me preguntaba por qué no había tenido noticias de una amiga desde ayer. Creo que la conociste en la fiesta de la embajada: Simone.

Esperó una reacción y Jyp sintió que sus ojos se clavaban en él.

Jyp tragó saliva al recordarlo. —Sí, creo que la recuerdo, casi nos dimos de bruces en algún momento.

—No importa —Morris dejó el tema de mala gana y estudió el periódico que tenía delante—. Debemos decidir qué hacer con usted —entrelazó los dedos y flexionó las manos como si se decidiera—. Veo que realizaste el «curso de iniciación» bajo el mando del Mayor Fanshaw que produjo algunos resultados inusuales.

Con una sonrisa nerviosa de reconocimiento, Jyp esperó a que continuara, temiendo lo peor.

—Lo que tenemos que hacer ahora es conseguir que hagas algo más útil, algo que te dé una experiencia de primera mano en el trabajo de espionaje. «Y algo —pensó para sí mismo—, que mantenga a este mocoso entrometido fuera del camino para que yo pueda tener a Julie para mí».

—Déjame ver —pensó en voz alta, mirando a Jyp con desagrado—, debe haber algo que podamos encontrar para que hagas—. Estaba a punto de continuar cuando sus cavilaciones fueron interrumpidas por un fuerte golpe en la ventana. Al levantar la vista, vio a un limpiador de ventanas trabajando, afrontando su tarea con entusiasmo. El mugriento estado de la camisa que llevaba le dio a Morris una idea y se acercó y golpeteó la ventana, casi provocando que el hombre se cayera de la escalera.

—¡Eh, tú! —levantó la ventana.

Una cara apareció cautelosa después de que el hombre recuperó su agarre con dificultad. —¿Quién, yo; jefe?

—Sí, entra aquí un momento.

—No he hecho nada malo, ¿verdad, señor? Si se trata de ese cristal que se rompió la última vez, fue solo un accidente, no fue culpa mía, la escalera se escurrió, de verdad, jefe.

—Nada de eso. Simplemente deme su camisa y sus pantalones.

—Está bromeando, señor. ¿Cómo me las voy a arreglar sin ellos? Aquí corre el aire.

—Tonterías, tienes ropa interior, calzoncillos y camiseta, ¿no?

—Olvídelo jefe, me arrestarán.

—Toma —Morris le entregó un billete con impaciencia—. ¿Te parece bien así?

El limpiacristales lo levantó al aire y lo besó. —¿Por qué no lo dijo antes? —Con cierta dificultad, se retorció para quitarse la camisa y se la pasó. Luego entró en la habitación y se quitó los pantalones—. ¿Qué es esto, una especie de juego, jefe?

—No te preocupes. No digas nada de esto, eso sí.

El limpiador de ventanas se estremeció y saltó al alféizar de la ventana y dijo volviéndose —Puede confiar en mí, jefe. Yo no entro en este tipo de juegos, claro.

—Aquí tiene —Morris dejó las prendas arrugadas sobre el escritorio frente a Jyp resoplando—. El trabajo idóneo.

—¿Qué, yo? —Jyp recogió la camiseta mostrándose un poco desconcertado—. ¿Qué hago con esto?

Morris espetó con impaciencia —Ponértelo, por supuesto. Ahora lo que quiero que hagas —mientras Jyp vacilaba—, es sentarte fuera de este edificio y fingir que tienes mala suerte y que estás sin trabajo.

La cabeza de Jyp emergió por el cuello de la camisa y parpadeó, completamente desconcertado.

—¿Cuál es la idea?

—Una de las reglas para ser un buen espía es poder hacerse pasar por cualquier cosa en cualquier situación, sea lo que sea lo que lleves puesto. Un excelente entrenamiento. Déjame ver —miró su reloj y tosió—. Tengo un compromiso importante, de lo contrario habría estado por aquí personalmente para comprobar tu progreso. Pero ponte trabajar —dijo radiante y su temperamento se recuperó al pensar en su cita para almorzar—. Espero un informe en cuanto vuelva. Recuerda —le dio una palmada a Jyp en la espalda, con cuidado de no ensuciarse las manos en el proceso—, es por el bien del servicio y te convertirá en un hombre. Mientras tanto —mientras escoltaba a Jyp hasta la puerta—, cerraré aquí con llave y me aseguraré de que tu ropa esté perfectamente segura. Vete, estaré pensando en ti.

Esa pudo haber sido su intención inicial, pero cuando Jyp tomó su posición afuera con su nuevo atuendo de músico callejero y la gorra vuelta hacia un lado, se dio cuenta de que Morris se había olvidado completamente de él mientras acompañaba a Julie a almorzar sin volver la vista atrás.

Si alguna vez has tenido la mala suerte de interpretar el papel de un indigente con un atuendo viejo y maloliente que ha pasado por varias manos en su viaje por la vida, mi consejo es que lo pienses de nuevo, largo y tendido. No hay futuro en ello.

Evidentemente, la mayoría de la gente que pasaba por allí también pensaba lo mismo, porque después de que uno o dos hubieran dejado caer alguna moneda en su gorra y se hubieran apresurado después de un rápido olisqueo, la vida reanudaba su naturaleza sin incidentes.

Todos menos el dueño de la tienda, quien informado de su presencia, salió a descubrir de qué se trataba todo el alboroto y evidentemente no le dio mucha importancia. Después de una mirada furtiva arriba y abajo, se inclinó y siseó —Oye, ¿te importaría moverte? Estás bloqueando la entrada, amigo mío. —Habría añadido algunos comentarios más pertinentes sobre la apariencia del vagabundo, pero su habitual cortesía se lo prohibió. Mirando más de cerca, exclamó —Pero... bendito sea Dios, eres el joven Jyp. ¿Qué diablos estás haciendo aquí con ese atuendo tan peculiar?

—Yo también me lo estaba preguntando —respondió Jyp con tristeza.

—Bueno, por el amor de Dios, no te sientes ahí, justo en frente de mi tienda. Es malo para el negocio. ¿No puedes moverte? Toma algo para ayudarte a seguir —puso un billete en la mano de Jyp y sacudiendo la cabeza se apresuró a regresar a la seguridad de su tienda.

Moviéndose según las instrucciones que le habían dado, Jyp pronto fue atacado por otro propietario furioso —¿Estás tratando de arruinarme? Vaya, eres Jyp el de esa oficina de espías. ¿No te dan lo suficiente para vivir? Después de todos los impuestos que pagamos, es repugnante. A ver, ¿cuánto necesitas?

Antes de que Jyp se diera cuenta, estaba acumulando una gran cantidad de dinero en efectivo de los comerciantes descontentos que rápidamente lo trasladaban, justo cuando se estaba poniendo cómodo. Al final, tuvo que transferir fajos de billetes a su bolsillo para mantenerse al tanto de los acontecimientos.

Estaba comenzando a relajarse ante su inesperada buena suerte cuando el reloj de la iglesia cercana comenzó a repicar y lo devolvió a sus sentidos.

¡Patience! Se había olvidado por completo de su bendita boda. ¡Dios mío! ¿A qué hora era? Miró su reloj con horror. ¡Se suponía que debía estar en Finsbury Circus a las dos y media como padrino! Toqueteó su camisa sucia. ¿Qué diablos se suponía que debía hacer?

Recogiendo su gorra, se apresuró a regresar a la oficina solo para encontrar que la puerta de la oficina de Morris estaba cerrada. ¡Maldita sea! Todavía era la hora del almuerzo, así que Reg estaba fuera y no había nadie más alrededor que pudiera ayudarlo. Mientras estaba allí, con la mente acelerada, vio la fila de maniquís con atuendo de golf en el escaparate y chasqueó los dedos. ¡Claro!

Sin pensarlo dos veces, se quitó la camisa y los pantalones y ante la mirada sorprendida de un transeúnte rápidamente se puso un pantalón corto muy coloridos y una camisa a rayas. Apretando los billetes en su bolsillo, ofreció una oración y corriendo como una flecha, paró un taxi.

Mientras se acercaba a la estación, consultó su reloj por enésima vez y se preguntó si alcanzaría el próximo tren rápido a Londres. Cuando llegó, rápidamente puso algunos billetes en las manos del sorprendido taxista y subió los escalones justo a tiempo para ver que el tren comenzaba a moverse. Haciendo caso omiso de los gritos del vigilante, abrió de golpe la puerta más cercana y se derrumbó dentro, haciendo que la anciana de enfrente atrajera a su perro hacia ella de manera protectora.

Recuperando el aliento, Jyp buscó en su camisa la dirección y luego revisó todos sus otros bolsillos antes de darse cuenta de que la había dejado en su abrigo en la oficina. Sus gemidos ante el descubrimiento fueron tan sinceros que la anciana se inclinó solícitamente y le ofreció un trozo de dulce de leche que estaba a punto de darle a su perro pequinés, que procedió a morderla después de perderse el premio.

Exprimiéndose el cerebro, Jyp recordó vagamente que estaba en algún lugar cerca de Finsbury Circus y se hundió sin fuerzas con la esperanza de tener mejor suerte en el otro extremo. En cuanto llegó el tren, Jyp se bajó rápidamente del vagón e ignorando la cola, golpeteó la ventanilla del taxi y gritó —¡Soy médico, esto es una emergencia!—. Mirando su ropa con recelo, el taxista decidió darle el beneficio de la duda después de ver su billetera abultada y le dejó entrar. Embolsándose una generosa propina, levantó su bandera y se marchó en medio de las protestas indignadas de los demás que esperaban pacientemente.

—¿Adónde vamos, jefe?

Jyp tosió —A la iglesia que está cerca de Finsbury Circus. Tengo… ejem… un paciente que necesita tratamiento urgente —añadió febrilmente.

—Dios mío, va a ayudarle, ¿no, doctor? Le ha dado un patatús en la iglesia, ¿verdad? Antes de que pudiera pensar en una excusa, el taxista charló alegremente —Eso me recuerda a un viejo que llevé una vez y que juró que era el rey de Ruritania. Tuve que arrodillarme ante él para que soltara los billetes.

—Gracias, parece que es esta —le interrumpió Jyp cuando apareció una iglesia—. Déjeme aquí. El taxi viró bruscamente con un crujido de frenos.

—Caray, casi no me ha dado tiempo. ¿Quiere que le espere?

—No, así está bien —le aseguró Jyp, bajándose antes de que el taxista siguiera hablando—. Tome. ¿Es suficiente?

El taxista parpadeó ante el tamaño de la propina. —Eso espero, amigo. Caramba, podría reservar un crucero alrededor del mundo con esta pasta—. Al ver a Jyp subir a toda prisa los escalones, meditó —¡Caramba! Con esas pintas es un milagro que no le pongan una chaqueta de fuerza y se lo lleven en una carretilla. —Se frotó la barbilla sin afeitar—. ¿Espero a que lo echen a patadas? No, hijo mío, vete mientras estás ganando. —Lanzando un suspiro melancólico, rumió —Eso sí, podría arreglarme con uno o dos como él antes de retirarme. ¡Sigue soñando!

Al entrar en la tranquila dignidad de la iglesia,

Jyp fue inmediatamente detenido por una estresada limpiadora. —Llega demasiado tarde.

—¿Tarde? —preguntó Jyp temblando—. ¿Quiere decir que la boda ha terminado?

—¿La boda? ¿Quién ha dicho nada sobre una boda? Hoy es el día en que se limpia la iglesia y ya hemos terminado, querido. Los encontrarás a todos en el pub.

—Pero esto es el número tres de la Calle de la Iglesia, ¿no? —balbuceó Jyp, tratando de recordar la dirección que le dieron.

—No, cariño. Este es el 103, querido. Eso está en la otra punta de la calle. Alguien te ha dado el número equivocado. Ya sabes, algunas personas no saben contar. Oye —miró a Jyp más de cerca—, ¿tú no eres el tipo del que todo el mundo habla? Mi primo me contó todo sobre ti. Jyp, ¿verdad? Eres bastante famoso, ¿me puedes firmar un autógrafo?

Pero ella estaba hablando al aire. Jyp había huido.

Cinco minutos calle abajo, Jyp se sintió tranquilizado por el sonido de un feligrés anciano que miraba con miopía el órgano, practicando su propia versión poco ortodoxa de la introducción a «La llegada de la Reina de Saba».

Cuando se zambulló agradecido en la entrada del porche, murmurando: «Querido y viejo Handel, sigue así», un guarda dio un paso adelante y le cerró el paso —Disculpe, señor, los obreros por la parte de atrás.

—¿Es esta la boda de Benson? —preguntó Jyp desesperadamente, agarrándole de la manga.

Apartando su brazo con desdén, el guarda respondió con frialdad —Hay programada una ceremonia para el caballero que has mencionado, pero no veo en qué te concierne.

—¡Pero... pero, si soy el padrino! —parloteó Jyp —. Déjeme pasar.

Si se hubiera tomado el tiempo para reflexionar sobre el estado en el que se encontraba, podría haber escuchado un buen consejo de su propia conciencia, pero consciente de la imperiosa necesidad de cumplir con sus obligaciones, Jyp se arriesgó.

—¡Mire eso! —Él dirigió la mirada sorprendida del hombre hacia el vacío y al minuto siguiente pasó disparado, seguido por gritos de «¡Detengan a ese hombre!»

Al llegar sin aliento al altar, Jyp se encontró cara a cara con el señor Benson, quien lo miró con creciente horror.

—No llego demasiado tarde, ¿verdad?

—¿Quién diablos eres tú y cómo has entrado?

—Soy Jyp, ¿no me reconoce?

La nariz de Benson se arrugó con disgusto y dio un paso atrás para evitar el contacto.

—¿Dónde está el acomodador? —pidió ayuda a

la congregación en general y en respuesta a su oración, dos asistentes exquisitamente vestidos aparecieron de la nada y tomaron posiciones a ambos lados de Jyp.

—Sacad a este vagabundo de aquí antes de que llegue la novia.

Uno de los asistentes puso una mano firme en el brazo de Jyp. —Disculpe señor, ¿hace usted el favor?

Jyp no podía creer que todo esto le estuviera pasando. Después de todas las molestias que se había tomado para llegar a tiempo a la ceremonia. Él hizo un último intento —Pero, señor Benson, ¿no me reconoce? Soy Jyp, ya sabe, Jefferson Patbottom. Soy su padrino, ¿recuerda?

Cuando empezó a asimilar la realidad de la intolerable situación, Benson se llevó las manos a la cabeza.

—¡No puedo creerlo! ¡*Pratbottom*! ¿Qué crees que es esto? ¿Una especie de fiesta de disfraces? ¡Vete de aquí!

Las burbujas se formaron en sus labios mientras trataba de fingir que todo era una espantosa pesadilla. Antes de que pudiera continuar con un lenguaje más explícito que hiciera plena justicia a la situación, el órgano tocó un acorde y las puertas del fondo se abrieron para revelar a Patience deslizándose por el pasillo hacia ellos del brazo de su anciano padre.

Benson se apresuró a colocarse delante de Jyp haciendo todo lo posible por ocultarlo de la vista, pero ya era demasiado tarde.

Soltando el brazo de su padre, Patience se apresuró hacia adelante, tropezó y se agarró al banco más cercano para apoyarse cuando vio a Jyp y comenzó a gritar.

En el momento justo, el organista hizo otro intento de comenzar la introducción, acompañado de una mezcla de chillidos y sacudidas del órgano.

En medio del alboroto de protestas, con varias personas desmayándose en los bancos cercanos, Benson intentó en vano hacer desaparecer a Jyp.

—¿Eres tú, Jyp? —Patience esbozó una sonrisa de bienvenida y se inclinó hacia él—. ¿Dónde has estado?

Jyp se humedeció los labios —No fue culpa mía. Estaba realizando un ejercicio de seguridad —echó un vistazo a los rostros incrédulos—. Es todo secreto.

—¿Secreto? —rugió Benson—. ¿Con esas pintas? —hizo a un lado a los acomodadores—. Déjenme ocuparme de esto.

Avanzó amenazadoramente hacia Jyp y lo agarró por las solapas. —Sólo hay una forma de tratar con personas como tú.

Apresurándose, Patience se adelantó. —No, no lo hagas... ¡No lo dice en serio!

Benson se incorporó en toda su altura y la miró.

—¡O se va este gusano o me voy yo!

Por un momento se quedaron uno frente al otro, sin querer ceder. Al ver que sus posibilidades de matrimonio se desvanecían, Patience dijo impotente: —Creí que me amabas, Howard.

Sin darse cuenta del drama, un anciano vicario se dirigió al altar, murmurando para sí mismo —¿Qué hice con mi audífono anoche? Sabía que lo había puesto en alguna parte. Ah, aquí está, eso está mejor —ajustó el aparato y sonrió a su alrededor— Buenos días a todos, ¿ya estamos completos?

Su mirada benevolente se fijó en Jyp y su voz vaciló —Digo yo, su atuendo es un poco inusual para la ocasión, ¿no le parece?

—Puede decirlo de nuevo, vicario —bufó Benson, volviéndose hacia Patience—. No sé cómo llegaste a elegir a este imbécil en primer lugar —él respiraba con dificultad—. Hace tiempo que sospechaba lo que estaban haciendo juntos, ahora lo sé.

—¿Cómo puedes decir eso, Howard?

Pero Howard ya había tenido suficiente. —Se acabó. No puedo perder más tiempo aquí, tengo cosas más importantes en las que pensar. Es hora de que vuelva a mis números.

—Sé qué números tenías en mente —estalló Patience furiosa—. ¡Esa era la que juraste que era tu hermana!

Al darse cuenta de la peligrosa situación en la que se estaba metiendo, Jyp levantó la mano y suplicó —No discutan por un asunto tan trivial en un momento como este, se los ruego—. Trató de reir, pero el sonido salió más como un graznido demente —Recuerden que es el día de su boda, el día más feliz de su vida. Miren, me iré; lo prometo.

Haciendo caso omiso de su presencia, Benson contuvo el aliento para una andanada final. —Durante mucho tiempo sospeché que te sentías así y ahora esto lo prueba. Esto es todo, ¡se acabó la boda! —Y con eso, se fue ofendido.

Hubo un silencio sepulcral y el vicario habló lastimeramente: —¿Me he perdido algo? ¿El padrino presenta el anillo?

Jyp empezó a salir. —Realmente creo que es hora de que vuelva a la oficina. Se preguntarán dónde estoy.

—¡Espera! —Patience imploró desesperadamente, haciendo todo lo posible por recuperar la desesperada situación—. Ellos no son los únicos —extendió una mano tímidamente—. Querido Jefferson, no tienes que fingir conmigo. Sé lo que debe haber significado para ti verme arrancada de tu lado así; debe haber sido terrible para ti, lo entiendo.

—Estaré en contacto, lo prometo —prometió Jyp débilmente, retrocediendo hacia la entrada.

—No me dejes, tenemos mucho tanto por delante, ahora que nos hemos reunido de nuevo.

—Ya es hora, llegaré tarde.

De repente, Benson regresó y cogió su abrigo y su paraguas. —Casi lo olvido. Esto me costó una buena suma. Bueno, te veré en la oficina como de costumbre el lunes, Patience. No llegues tarde, tenemos muchos números que poner al día, ya sabes cómo es la Oficina Central.

Furiosa, Patience se quitó el anillo y se lo arrojó. —¡Se acabó! No voy a volver, Howard. Me voy a casa de mi padre. Él sabrá cuidar de mí, ¿verdad, papá?

Pero papá decidió que ya había tenido suficiente, en compañía de la mayoría de la congregación que ya se estaba yendo.

—¿Papá? —Ella se volvió hacia Jyp—. ¿Jefferson?

Pero se encontró hablando sola.

Unas horas más tarde, un agotado Jyp salió del tren completamente exhausto, ansioso por cambiarse de nuevo y ponerse su propia ropa y relajarse con una bebida reconfortante. Cuando llegó a ver la oficina, notó una ráfaga de actividad y se escuchó un grito —¡Ahí está, oficial!

Desconcertado, Jyp miró a los rostros expectantes a su alrededor y se encontró cara a cara con el temido inspector Clamidia, quien dio un paso adelante con ademán importante y sacó su cuaderno con una floritura.

—Ah, aquí está, señor. ¿Sabía que han robado en la tienda? Miró más de cerca el atuendo de Jyp y su voz adquirió un tono formal— ¿Puedo preguntarle dónde obtuvo esos artículos que lleva puestos señor, ya que se ajustan a la descripción del mencionado equipo de golf robado de las instalaciones mencionadas?

10

UNA CANDIDATA PROMETEDORA

Consciente de que todos estaban esperando una respuesta, Jyp experimentó el mismo sentimiento de culpa que recordaba de sus días escolares cuando se enfrentó al director al otro lado del escritorio y le pidió una explicación de por qué el prefecto había encontrado en su casillero dos frascos de mermelada de frambuesa que habían desaparecido de la tienda de refrigerios.

Estaba a punto de seguir el consejo de su antiguo amigo de la escuela y mirar directamente a la cara de su acusador y negar todo conocimiento del caso, cuando sonó el móvil del inspector, que se alejó murmurando una excusa.

—Sí, ¿quién es? Oh, hola, señor —ahuecó la mano sobre el móvil y gritó con dureza— ¡Ferris! Oh, ahí estás... ven, ¿te encargas tú? Si hay

cualquier payasada, llévalo a la comisaría. —
Volvió a tomar el móvil y su voz adquirió un
tono dulzón— Lo siento, señor... ¿qué me estaba
diciendo? No, nada importante, ¿en qué puedo
ayudarle?

Indicó a los demás que se alejaran y reanudó la
conversación.

Obedientemente, el Sargento Ferris se hizo
cargo y sacó su cuaderno.

Jyp se estaba devanando los sesos en busca de
una excusa convincente cuando una dulce voz interrumpió sus dispersas neuronas con una explicación
que sonó como música para sus oídos.

—No pasa nada, sargento. Estamos al tanto de
todo.

—¿Lo están, señorita? El sargento pareció aliviado y guardó su cuaderno.

—Sí. Jefferson pidió prestada la ropa con
nuestro pleno permiso.

—Oh, bueno eso es todo entonces, si usted lo
dice. Seguiré mi camino, señorita.

Julie esperó hasta que el sargento se perdiera de
vista y luego se volvió hacia Jyp —¿Dónde diablos
has estado todo este tiempo y por qué tuviste que
robarte ese horrible atuendo de golf? Será mejor
que entres y me lo expliques.

—Está bien. —Jyp la siguió de vuelta a la oficina, donde estaba bastante claro que ella esperaba

tener un relato completo y sin adornos de su comportamiento.

—¿Y bien?

—No te he preguntado cómo fue tu cita para almorzar —preguntó Jyp, para ganar tiempo.

—He tenido un agradable almuerzo, gracias y tu ropa está toda planchada y esperando que te la pongas. Y ahora, ¿qué has estado haciendo tú? —Luego, dándose cuenta del estado en el que se encontraba y su expresión de tristeza, se apiadó de él y estalló en alegría —Oh, Jyp, si pudieras verte a ti mismo, ¡pareces fuera de este mundo! Espera un minuto, tu cara está sucia de verdad.

Mientras le limpiaba suavemente la cara con un paño húmedo, sintió un deseo irresistible de acariciarle la mejilla, lo que provocó una reacción inmediata de Jyp. Todas las horas de frustración reprimida se apoderaron de él y sin pensarlo él la tomó, la estrechó entre sus brazos y la besó.

Julie se liberó por fin y lo miró con reproche. —¿Por qué has tardado tanto? Pensé que me habías olvidado—. Ella volvió a acariciarle la mejilla y se acurrucó.

—No pensé que me creerías. —Luego, apresuradamente, exclamó— Te amo, Julie.

—Oh Jyp, ¿de verdad? —enterró su rostro en su hombro—. Pensé que nunca llegarías a hacerlo.

—Mi tía sigue diciéndome eso también —dijo, sorprendido por la coincidencia.

—Ahora que te has quitado esto de encima, ¿qué pasó?, quiero saberlo todo. Pero primero será mejor que te deshagas de esa ropa vieja y maloliente antes de que el jefe te vea.

Cinco minutos después, Jyp regresó más presentable, sin saber cómo proceder.

—Es una larga historia —comenzó, pensando en lo idiota que sonaría.

—Bueno, tómate tu tiempo y empieza por el principio, tontito —dijo ella con cariño—. No hay nadie más alrededor para escuchar.

Una puerta se abrió silenciosamente detrás de ellos y Morris se asomó, maldiciéndose a sí mismo después de presenciar el romántico espectáculo y escuchó con atención.

Al escuchar a Jyp descargar su historia en ráfagas vacilantes, tomó nota cuidadosamente del nombre de Patience y dejó la puerta entreabierta para poder seguir la conversión.

—¡Qué idiota! —fue el veredicto de Julie—. ¿Por qué demonios no me lo habías dicho antes? Lo habría entendido. Todo ese asunto de vestirse con el equipo de golf de Reg, ¡qué divertido! ¡Me encantaría haber estado allí para verlo! ¿Realmente se comportó así? —ella comenzó a reírse solo de pensarlo—. ¿Qué dijo?

—Estaba un poco molesto por el atuendo que llevaba y no me reconoció.

—No me sorprende —Julie trató de mantener la cara seria—. Sigue.

—Y luego, cuando lo hizo, acusó a Patience de todo tipo de cosas, de ser infiel y todo ese tipo de cosas —él cambió apresuradamente la conversación al pensarlo— y tuvieron una discusión increíble. Y después de todo eso, dijo que esperaba que ella se presentara en la oficina el lunes.

—No, no me extraña que ella le rechazara. ¡Ese hombre es un monstruo!

—Sí y eso significa que estará libre para perseguirme de nuevo. Se estremeció ante esa posibilidad.

—Bueno, tendrá que lidiar conmigo si lo hace —respondió Julie con firmeza—. Sí, ¿qué pasa, Reg? —dijo al notar que andaba deambulando por el fondo.

—Una carta para Jyp, señorita. Acaba de llegar.

—¡Oh, no! —gimió Jyp, ojeando la escritura del sobre—. Es Patience, hablando del rey de Roma.

—Bueno, veamos qué dice —le animó Julie, liberada.

Examinando rápidamente el contenido, Jyp se agarró la cabeza —Quiere un trabajo ahora que está separada.

—Bueno, espero que no seas tan idiota como para buscarle uno aquí.

—Debes estar bromeando —dijo con sentimiento.

—Ese es mi amor. Bueno, ¿de qué estábamos hablando? —y se acurrucó de nuevo.

La puerta se cerró silenciosamente detrás de ellos y poco después sonó el teléfono de Julie. Ella se liberó de mala gana. —Es su señoría, será mejor que conteste. Escuchó por un momento y después de asentir, hizo un gesto alentador a Jyp—. Es el jefe, quiere verte de inmediato.

Guardándose la carta en el bolsillo, entró rápidamente.

—Ah, Jefferson, siéntate.

Jyp obedeció y lanzó una mirada inquisitiva a su nuevo gerente. Atrás quedó el porte afable que era evidente en su visita anterior. Al contrario, fue sometido a una mirada de negocios seca y sin tonterías que le dijo que el tiempo de los juegos había terminado.

—Entiendo que el ejercicio que le preparé no fue un éxito particularmente abrumador —dijo Morris desagradablemente—, en gran parte porque todos los comerciantes locales lo reconocieron. Sin embargo... —cortó de raíz las explicaciones de Jyp —, supongo que fue un comienzo en la dirección correcta. Espero un informe completo. Mientras tanto —señaló un montón de archivos sobre el escritorio—, he estado examinando parte del trabajo de mi predecesor y veo que tenía algunas pistas prometedoras a partir de las cuales seguiré trabajando. No parece que hayamos hecho mucho para dar a conocer nuestro trabajo por aquí y tengo la intención de cambiar todo eso: expansión es la palabra. De ahora en adelante quiero que seamos conocidos en todo el país por desarrollar una red de seguridad de primera clase.

Al asimilar el significado de sus comentarios, Jyp tuvo un sentimiento de preocupación porque todo eso significaría más carga de trabajo para Julie.

—Teniendo en cuenta lo que esto requerirá del grupo de mecanografía —continuó sin cesar la voz de Morris—, he decidido contratar a otra secretaria para compartir la carga adicional que esto requerirá. Por lo tanto, he colocado un anuncio en los periódicos comerciales más importantes y espero recibir algunas respuestas pronto. Sin duda deseará ayudar en la selección.

Jyp exhaló un suspiro de alivio ante la promesa de ayuda extra para Julie y asintió con la cabeza.

—Bien, eso es todo, creo. Lo dejo para que continúes con tu informe y quizá puedas tú informar a mi secretaria sobre los nuevos planes —Morris concluyó sus comentarios flexionando las manos, un hábito peculiar que provocó una señal en la mente de Jyp, pero estaba tan ansioso por transmitir las últimas noticias que lo ignoró.

—Al menos eso significa que seremos capaces de manejar este tiempo, no como el caos que creó el viejo Grimshaw —caviló Julie al escuchar las últimas noticias—. Pero me pregunto qué está planeando.

—Mientras tanto, supongo que será mejor que haga algo rápido para satisfacer a nuestro jefe —suspiró Jyp malhumorado.

—Anímate, cariño. Déjamelo a mí, soy buena copiando informes como ese, después de todos los cursos iniciales que hemos tenido.

Mientras tanto Morris, su gerente, estaba reflexionando sobre qué hacer a continuación. Si tan solo Simone se pusiera en contacto con él, pensó. Había llegado a confiar en sus consejos en lo que respecta a las mujeres y su continuo silencio era inquietante. Flexionó los dedos como siempre hacía cuando se enfrentaba a un problema de esta naturaleza. Alisándose el cabello hacia atrás, se miró en el espejo y se tranquilizó al verlo. Nunca había tenido ningún problema en el pasado en lo que respecta a sus conquistas y no tenía la intención de estropear su historial. Sonrió con satisfacción ante tal pensamiento. Esa niña de afuera admiraba cómo bailaba y era solo cuestión de tiempo antes de que él la tuviera bailando sobre una cuerda como a todas las demás. A él le gustaba Julie y nada debía interferir con sus planes para ella. Mientras tanto, la mención de esa chica, Patience; que tenía planes para Jefferson, le dio una idea y tomó el teléfono. Diez minutos más tarde se reclinó con un suspiro de satisfacción, después de contar a la agencia de contratación lo que tenía en mente.

Dichosamente inconsciente de las trampas que le aguardaban, Jyp se relajó y observó a Julie con cariño mientras ella le redactaba un informe, admirando la forma enérgica y profesional en que realizaba su tarea. Por fin ella lo terminó y se lo pasó para que lo aprobara.

Al levantar la vista después de leer la última página, levantó su pulgar. —Esto es genial, justo lo que necesitamos. Nunca me las habría arreglado sin tu ayuda, cariño. ¡Que Dios te bendiga!

Sonriendo feliz por el cumplido, Ella se giró en su asiento. —¿Eso significa que me he ganado un beso?

Saltando al otro lado, Jyp la estrecho entre sus brazos.

Al oír el zumbido del intercomunicador, Julie se liberó de mala gana. —Es para mí, debo irme, amor. Tiene un montón de tareas que quiere que comparta con esta nueva chica cuando llegue. Será mejor que averigüe qué quiere.

—Eso me recuerda... —dijo Jyp—. Le prometí a la tía Cis que le daría las últimas noticias sobre nuestro nuevo jefe. Te lo contaré todo mañana.

—No lo olvides, amor... oh, es él de nuevo. No puedo parar —y recogiendo su cuaderno pasó de largo.

Cuando llegó a casa, no se veía a su tía por ningún lado. Finalmente, después de esperar media hora y mirar su reloj y sentir hambre, ella apareció muy nerviosa.

—No me lo digas, lo sé. Lo siento muchísimo, Jyp. Me quedé atrapada en una cola y pensé que nunca saldría. Ahora siéntate mientras preparo una cena rápida y cuéntamelo todo sobre este nuevo jefe suyo.

Tratando de no mirar demasiado de cerca la porción algo arrugada de tocino y huevos que le ofreció, Jyp se lo tragó e hizo todo lo posible por describir al nuevo gerente y sus hábitos.

—Um, Charles Morris, ese nombre me resulta familiar. Déjame pensar unos minutos. —Al ver el plato vacío de Jyp, ella se disculpó— Lo siento, cariño, mañana te traeré algo mejor para cenar. Pero ¿dónde estábamos?

—Morris —apuntó Jyp, dejando de pensar en la comida—. Pensabas que tal vez lo conocías.

—Sí —su pensamiento se desvió—. Si él es el que creo que podría ser, siempre estaba detrás de las chicas. "Randy Andy" solían llamarlo, no podía quitarles las manos de encima. Su segundo nombre era Andrew —explicó. Ella hizo memoria— Y había algo más sobre él, si mal no recuerdo. Corrían rumores de que era un personaje un poco dudoso, no solo por lo de las mujeres, sino que se hablaba de que estaba involucrado en una especie de chantaje o algo así.

La noticia no ayudó a tranquilizar a Jyp, ya que recordó que Morris había llevado a Julie a almorzar y parecía muy posesivo con ella.

—¿Cómo podemos averiguarlo? —preguntó, bruscamente—. ¿Conoces a alguien que pueda darnos una pista? Debe haber alguien que lo conociera.

—¿Qué me dices de esa mujer, Simone, de la que me hablaste?

Se estremeció —No me lo recuerdes. Ella es la última persona a la que quiero volver a ver.

—Bueno, recuérdame qué apariencia tiene él. ¿Cómo lo describirías?

—Bueno, supongo que es guapo de una manera

seductora —admitió a regañadientes—. De esos de los que las mujeres siempre parecen enamorarse.

—Te diré una cosa —le miró alentadora—. Si pudieras conseguir una foto de él, me haría una idea mucho mejor. ¿Algún otro hábito o costumbre suya que se te ocurra?

Jyp recordó su hábito de flexionar los dedos, pero no le recordó nada particular.

—Bueno, te quiero pero te tengo que dejar, Jyp, tengo una reunión de WI esta noche y no puedo permitirme perderla, así que ¡largo! —Mientras se disponía a marcharse, pensó en algo— Oh, por cierto, mira si puedes conseguir una muestra de su escritura para que podamos ver si coincide con ese trozo de papel que me enseñaste.

Sintiéndose insatisfecho con lo que había averiguado y todavía con hambre, el estado de ánimo de Jyp no mejoró cuando se encontró con una emocionada Julie en la oficina a la mañana siguiente, rebosante con su relato del suntuoso trato que le ofreció su jefe.

—Me retuvo tanto tiempo con ese dictado que me llevó a una fiesta fantástica para compensarlo, deberías haber estado allí. —Ella se interrumpió— Lo siento, me olvidaba, ¿cómo te fue?

—Bien —murmuró, haciendo todo lo posible por descartar la imagen de su frugal comida.

—Bueno, ¿qué dijo tu tía? —dijiste que ella estaba en el mismo negocio, ¿lo conocía?

Prudentemente, Jyp omitió la descripción que su tía había hecho por si no caía bien o no era el momento. —Dijo que se haría una idea mejor si le conseguíamos una foto suya.

Julie estaba dudosa —Sé que Reg tiene una cámara, pero no veo cómo podemos hacer que pose. Es un hombre tan ocupado y tan guapo. Y muy encantador. Deberías haberlo visto en la cena —suspiró al recordarlo y Jyp sintió de repente una punzada de celos.

Así que lo dejó así, con la intención de consultar a Reg en la primera oportunidad.

En el momento en que el gerente apareció en su puerta, su anuncio le quitó la idea de la cabeza.

—Creí que les gustaría saber que la agencia acaba de hablar por teléfono con una candidata prometedora y la enviarán mañana a primera hora. Así que quiero que ambos estén aquí para conocerla. Y ahora debo irme, tengo una cita urgente. Hasta mañana entonces.

Su noticia los dejó con sentimientos encontrados. Julie estaba encantada y así lo dijo —Dios mío, ha sido rápido. A eso se le llama velocidad. Me muero de ganas por ver cómo es, ¿y tú?

Jyp no se comprometió, pero no pudo evitar preguntarse cómo había logrado Morris recibir una llamada sin que pasara por el conmutador.

~

No fue hasta la mañana siguiente que las sospechas de Jyp resultaron estar plenamente justificadas.

Si Morris alguna vez hubiera tenido la ambición de ser un empresario de circo, se habría vendido como pan caliente a juzgar por su actuación cuando presentó a su nueva secretaria.

Su anuncio no hubiera sido más efectivo si hubiera iniciado un desfile de malabaristas acompañado de un redoble de tambores. Después de invitarlos a todos a su oficina, abrió de par en par su puerta interior con una floritura teatral para revelar la figura emocionada de... Patience.

Antes de que Jyp pudiera recuperarse de la conmoción, ella entró en la habitación y le echó los brazos al cuello y le dio un gran beso, para su vergüenza.

—Oh, Jefferson, qué amable eres al pensar en mí cuando sabías que necesitaba un trabajo. No puedo agradecerte lo suficiente, después de todo lo que has hecho por mí.

Al liberarse, Jyp negó acaloradamente ser responsable, pero el daño ya estaba hecho.

Satisfecho por la mirada fría de incredulidad en el rostro de Julie, Morris se autofelicitó por el resultado que había logrado y con una sonrisa suave sugirió que debían dejar a los dos jóvenes amigos para celebrar su reencuentro en privado.

Con una astuta mirada de triunfo, siguió a Julie mientras ella salía de la habitación, asegurándole su devoción y remarcando la extraordinaria coincidencia que había vuelto a unir a los dos jóvenes.

La única otra persona que había pasado por alto era Reg, quien por alguna razón parecía totalmente absorto en la recién llegada.

Agarrando el brazo de Jyp mientras este último lograba liberarse y salir tambaleándose de la oficina, Reg suspiró y murmuró algo que apenas se filtró en su oído y tuvo que repetirse varias veces antes de que pudiera ser entendido.

—¿Quién es esa? Oye... ¡Vaya figura!

Jyp parpadeó e intentó entender a qué se refería su amigo —¿Te refieres a Julie? Ella acaba de irse.

—No, ese melocotón de mujer de allí —señaló tímidamente a Patience, que sonreía para sí misma en un rincón.

La boca de Jyp se abrió con total incredulidad. —No hablarás de... —gruñó— ¿Patience?

—Sí, ¿no te importa?

—¿Importarme? ¿Por qué debería importarme? —Jyp estaba aún más confundido, todavía lidiando con la idea de que alguien pudiera considerar a Patience, como dijo su amigo, una belleza.

—Me refiero a... —Reg asintió significativamente con la cabeza hacia la puerta—, ya sabes, Julie.

Las ideas de Jyp se aclararon —¿Importarme? Por supuesto que no me importa, Reg. Pero... pero ¿estás seguro de que estamos hablando de la misma persona... Patience, la nueva secretaria?

—Oh, sí —los ojos de Reg adquirieron una expresión soñadora mientras miraba con los ojos abiertos el objeto de su adoración.

Al captar su mirada de adoración por primera vez, Patience agitó las pestañas con recato y reconoció su presencia con un discreto movimiento de la mano.

Interpretando su señal como una invitación, Reg contuvo el aliento. Se aferró al brazo de Jyp.

—Oye, ¿te parece muy descarado que le saque una foto?

Jyp estaba a punto de decir que no había ninguna posibilidad con el viejo Morris vigilándola, cuando un pensamiento repentino lo asaltó al recordar la petición de su tía, sintiéndose lleno de gratitud por la inesperada oportunidad que se le presentaba. Tragó saliva y acarició afectuosamente el hombro de Reg —Tengo una idea aún mejor, ¿por qué no la sacas copiando uno de esos dictados de

Morris en su oficina? Él estaría encantado de agregarlo a la colección de la oficina para... —su mente buscó desesperadamente una posible razón y de repente se le ocurrió una solución plausible— ya sé... para celebrar sus nuevos planes de expansión, por supuesto. Y mientras lo haces, no olvides hacer una buena toma de la cara de Morris para acompañarlo, eso lo complacerá muchísimo.

Dejando a Reg repitiéndole de nuevo su agradecimiento, Jyp se apresuró a regresar para explicar a Julie el nuevo giro de los acontecimientos, dándose cuenta de antemano de la tarea difícil que probablemente sería después de que ella hubiera presenciado su reciente abrazo.

—¿Con cuál? —fue todo lo que ella dijo después de escuchar su relato. Sin tener en cuenta el hecho de que ella debería haber dicho "¿con quién?", solo podemos correr un tupido velo ante sus comentarios posteriores sobre la situación, dejándolo sin dudas sobre su actitud sobre todo el asunto, después de haber sido influenciada por cierto gerente astuto que fue celebrando su éxito regalándose un habano extra grande en el café de al lado.

—¿Estás intentando en serio decirme que Reg se ha enamorado de repente de tu Patience? —dijo ella fríamente—. Pensé que solo tenía ojos para ti.

—Ella no lo decía en serio —suplicó desesperado—. Tú escuchaste lo que dijo, solo estaba expresando su gratitud.

—Eso no es lo que parecía desde donde yo estaba.

Sintiéndose más como un náufrago al ver desaparecer el barco de rescate en el horizonte, Jyp perseveró contra lo que parecía una situación desesperada.

—Pero yo no tuve nada que ver con su nombramiento, fue Morris quien la eligió.

—¿De verdad? —su furia reprimida se desbordó — Eso no es lo que Charles me dijo, él me dijo que tú le rogaste que la cogiera.

Su declaración lo dejó sin aliento. —¡Eso no es verdad! —negó con vehemencia—. Está mintiendo. Ella es la última persona que yo hubiera elegido. ¿No sabes a estas alturas que eres la única a la que quiero en mi vida? ¡Te quiero!

Su arrebato fue tan inesperado que Julie se sintió conmovida por su pasión y comenzó a debilitarse.

—Pero, ¿por qué iba a decir cosas así si no son ciertas?

—Porque... —la advertencia de su tía tembló en sus labios y antes de que pudiera detenerse, continuó a ciegas—, porque quiere agregarte a su lista de conquistas. La tía Cis me lo contó todo sobre él, dice que es un mujeriego. Todo el mundo sabe cómo es.

—¿Cómo puede saberlo? Nunca lo conoció —incluso mientras lo decía, Julie se sintió zarandeada por la noticia.

Jyp vaciló, luego confesó tímidamente —La tía Cis me pidió que consiguiera una foto para asegurarse. Cuando Reg me preguntó si podía sacar una foto de Patience, me di cuenta de que era una oportunidad enviada del cielo. Le dije que se asegurara de que Morris saliera en la foto también para poder mostrárselo.

Julie trató de mantenerse rígida pero no lo logró. —Pobre Reg, no le dijiste en qué se estaba metiendo.

—No —admitió Jyp—. No creo que me hubiera creído de todos modos, no es el único —añadió, mirándola esperanzado.

—Me rindo. Todos los hombres sois iguales. Oh, Dios mío, ¿ya es la hora? —Mirando su reloj, exclamó horrorizada— Llego tarde a una cita con los abogados de papá.

—¿Nada serio, espero? —preguntó Jyp con simpatía, ayudándola a ponerse el abrigo.

—No, papá está bien, me pidió que fuera en su nombre. Es mi abuelo. Falleció recientemente —su rostro se puso triste y se secó una lágrima—. Estaba tan lleno de vida, nunca pensé que iría así, yéndose antes que Ben, su adorable y viejo perro de aguas. Me pregunto qué será de él. Me encantaría quedarme con Ben ahora, si es posible.

—¿Hay algo que yo pueda hacer? —añadió Jyp torpemente.

Una breve sonrisa medio perdonadora apareció en su rostro. —No, simplemente no hagas travesuras. Te lo contaré cuando vuelva. —Se inclinó hacia delante y le dio un beso justo cuando Morris entraba y escuchaba el final de la conversación.

—Ah, Julie, ¿te vas entonces? Solo iba a pedirte que acabáramos con nuestro dictado. No importa, le pediré a la joven Patience que lo haga, para que practique un poco. ¿Por qué no te unes a nosotros, Jefferson y ves cómo le va a tu amiga? Sin duda querrás verla llegar a casa sana y salva cuando hayamos terminado, ya que sois viejos amigos —repitió para restregárselo.

La puerta principal se cerró de golpe detrás de Julie, interrumpiendo sus comentarios cuando los hizo pasar.

En poco tiempo, la calidez de la oficina y el zumbido de la voz de Morris hicieron que Jyp comenzara a cabecear y no fue hasta que se dio cuenta de que le estaban haciendo una pregunta que de repente se despertó sobresaltado. —¿No estás de acuerdo conmigo, Jefferson?

—Eh, por supuesto, señor.

—Bien, bueno, creo que eso es todo, señorita... eh... Patience. Si teclea ese documento, nosotros... sí, ¿quién es?

—Discúlpeme, señor —El rostro de Reg apareció en la puerta, levantando su móvil esperanzado.

—Sí, ¿qué pasa?

—Me preguntaba si podría sacar una foto a nuestro nuevo equipo. Sólo para nuestros propios registros —añadió apresuradamente, notando la expresión prohibitiva en el rostro de Morris—. Y para celebrar nuestros nuevos planes de expansión bajo un líder tan célebre —hizo una reverencia complaciente a Morris. Jyp le lanzó una mirada de advertencia, diciéndole que no se excediera.

Justo cuando Morris estaba a punto de decir que no, Patience chilló de alegría —Oh, eso sería encantador, la podría guardar como recuerdo de mi primer día aquí.

—Es cierto —dijo Jyp con deferencia—. Sería una buena idea mostrárselo a nuestra gente en el Whitehall; siempre están buscando algo que celebrar.

Morris agitó sus papeles con impaciencia. —Está bien, pero date prisa, no tenemos todo el día y a mí no me saques.

Después de la reunión, Jyp llevó a Reg a un lado y echó un rápido vistazo a sus esfuerzos, notando con regocijo que, a pesar de las instrucciones de Morris, lograron que se le viera casi entero. —Justo lo que necesitamos —resumió—, excelente.

—¿Crees que le he hecho justicia? —preguntó Reg ansioso.

—No podrías haberlo hecho mejor —asintió Jyp con aprobación mientras escaneaba las imágenes, con la atención puesta en las tomas de Morris. Él vaciló —Solo hay un inconveniente ¿Cuándo podremos tener las copias?

Reg le dio un codazo con una sonrisa. —Es espectacular, ¿a que sí? No puedes engañarme, lo sé, a ti también te gusta un poco Patience.

—No —dijo Jyp tajantemente—. Es a Morris a quien queremos.

—¿Y eso por qué? No sabía que eras su fan, sobre todo después de la carrera que te hizo dar el otro día.

Asegurándose de que no fueran escuchados, Jyp comenzó a explicar, pero luego cambió de opinión. —Ahora no puedo ponerme con eso. Te diré algo —mientras recordaba el portátil que había visto en casa de su tía— déjame esto durante la noche y te sacaré las copias que necesites al mismo tiempo.

Reg exhaló un suspiro. —No me gusta separarme de ella, pero viendo que eres tú... hazme media docena de sus mejores tomas y cerramos el trato.

Se estrecharon la mano solemnemente y Reg le pasó su móvil. —No lo pierdas, es posible que nunca tenga otra oportunidad, conociendo al viejo Morris.

—Puedes confiar en mí.

—Bien, te dejo con eso antes de que él cambie de opinión. Cuidado —dijo cuando la puerta comenzó a abrirse detrás de ellos—. Nos vemos.

—Un momento —gritó Morris rápidamente cuando Reg desapareció de la vista—. ¿Ese era Reg? Quiero hablar con él.

—Me temo que ya se ha ido —mintió Jyp alegremente—. Se fue hace cinco minutos, ese era el cartero.

—Maldito sea, aún no es la hora de cerrar.

—Creo que dijo algo sobre un pariente enfermo —dijo Jyp apresuradamente—. Suele ser muy bueno con sus horas de dedicación.

—Bueno, dígale que lo quiero en mi oficina mañana a primera hora. Supongo que tienes algo en lo que ocupar tu tiempo mientras tanto.

—Por supuesto, señor —asintió Jyp apresuradamente, escondiendo el móvil a su espalda.

—Um. Bueno, no dejes que te siga entreteniendo—. Observó con sospecha cómo Jyp se retiraba a la oficina, cambiando el teléfono de una mano a la otra mientras saludaba y gesticulaba con cada mano por turnos.

11

FORRADOS DE DINERO

Cuando llegó a casa repleto de noticias sobre su éxito, encontró a su tía que se deshacía en disculpas.

—Debes de estar muerto de hambre. Ahora siéntate, tengo una cena deliciosa para ti, lista para compensar esa horrible comida que tuviste que soportar ayer.

—Pero tía, tengo justo la información que me habías pedido.

—Ni una palabra más, de lo contrario todo se echará a perder. Me lo puedes decir después cuando te hayas zampado todo esto. —Y diciendo eso, puso un plato humeante frente a él, lleno de olores seductores que sacaron de su cabeza todos los pensamientos sobre su último golpe maestro.

Cuando finalmente se limpió la boca y empujó

la silla hacia atrás con un suspiro de satisfacción, ella se llevó rápidamente el plato.

—Ahora, veamos qué estabas intentando decirme.

Con una floritura, Jyp sacó el teléfono móvil de Reg. —¡Ta-daaa!

Sin impresionarse, la tía Cis se lo quitó con cautela. —¿Qué se supone que hago con esto?

—Está lleno de fotos de quien tú ya sabes, ¡eso es lo que es!

—Te refieres a Morris, ¿cómo te las has arreglado?

Jyp permitió que una nota de optimismo cauteloso se filtrara en su voz —Resultó que Reg en la oficina estaba tan ansioso por obtener algunas fotos de Patience, que aprovechó la oportunidad para sacarle algunas —estalló en una sonrisa—, así que me aseguré de que incluyera a Morris también.

—Eso es muy astuto, voy a tener que vigilarte en el futuro —sonrió con aprobación.

—Sé que no fue muy deportivo, pero era la única forma que pude pensar para hacerlo sin demasiadas sospechas. Tal y como fue —reflexionó—, tengo la sensación de que el viejo Morris se volvió loco después, pero ya era demasiado tarde para hacer algo al respecto.

—Bueno, no nos preocupemos demasiado por eso. Lo principal es que tienes las fotos que buscábamos. Ahora todo lo que necesitamos saber es cómo descargar las imágenes y calcular cuántas necesitamos. Toda esta tecnología moderna me supera.

—Eso es fácil, tía —agitó el teléfono frente a ella —. Piensa en esto como un ordenador en miniatura, eso es todo. Ahora —introdujo algunas instrucciones en él— todo lo que necesito hacer es transferir las imágenes a tu portátil y listo, ya está todo hecho.

—Es impresionante. ¿Y ahora qué?

—Ahora podemos ver las fotos y decidir cuáles queremos imprimir. Ya está.

Cuando las imágenes aparecieron en la pantalla, la tía Cis señaló emocionada —Ese es él, reconocería esa cara en cualquier lugar. Bien hecho, Jyp. Espera un minuto, será mejor que no dejemos esas fotos de Morris ahí. Si las ve, saldrá corriendo.

—Ya he pensado en ello —apretó un botón de la impresora—. Ahí la tienes, esa es la foto de Morris que queremos, ahora haremos un pequeño retoque —hizo un recorte rápido—. Esto se ocupa de él.

—¿Cómo has hecho eso? Ha desaparecido.

—Esa es la idea. Ahora todo lo que necesitamos es imprimir algunas copias para Reg.

Puso un número en la impresora y apretó un botón. —Abracadabra, no necesitaba contar las copias, ¿verdad? Lo hace todo por ti.

—Excelente —dijo su tía con dulzura—. Ahora solo queda una cosa por hacer.

Jyp gimió —Pensé que teníamos todo lo que necesitábamos, ¿y ahora qué?

La tía Cis lo obsequió con una sonrisa alentadora y le dio una palmada en la espalda. —Lo que necesitamos ahora son sus huellas digitales.

—¿Para qué las quieres?

Su tía lo miró sorprendida. —Para comprobar si ha cometido algún delito con otro nombre, por supuesto, tontito. Pensaba que era obvio. Conociendo a ese personaje, probablemente habrá operado con media docena de alias hasta ahora.

—¿Significa eso que tengo que pasar por todo esto de nuevo? —Jyp estaba horrorizado—. ¿Cómo diablos hago eso?

Su tía hizo algunos ruidos tranquilizadores. —Todo lo que tienes que hacer es traerme un papel que él haya estado manipulando y dejarme el resto a mí. Pero asegúrate de no dejar tus propias huellas en él.

—¡Eso es genial! —Jyp se levantó de su asiento con un suspiro—. Me alegra saber que no es nada demasiado extenuante.

—Bien, me alegro de que hayamos solucionado eso. Ahora, ¿tenemos suficientes copias de tu Patience?

Jyp hizo una mueca. —Ella ya no es *mi* Patience,

con un poco de suerte, tía. Tenemos media docena aquí, eso debería ser suficiente para hacer feliz a Reg. ¿Hay algo que se me haya olvidado?

—No, lo has hecho de manera brillante. ¿Por qué no te acuestas temprano? Parece que te vendría bien.

—Gracias, creo que lo haré —echó un vistazo a las impresiones que tenía en la mano—. Saltará de alegría cuando vea esto, como si no lo conociera.

Al final resultó que Reg no estaba en condiciones de dar saltos cuando entró cojeando a la mañana siguiente. A primera vista, parecía como si lo hubieran arrastrado a través de un seto hacia atrás. De hecho, estaba tan maltrecho que Jyp apenas lo reconoció. Tenía un ojo hinchado, tenía un brazo en cabestrillo y el otro dependía de una muleta para atravesar la puerta.

—¿Qué diablos...? —Jyp lo ayudó a abrirse camino hasta la silla más cercana—. ¿Qué te ha pasado?

—Puedes preguntar —jadeó Reg, reprimiendo con un golpe—. Estaba doblando la esquina de la carretera cuando un lunático se dirigió directamente hacia mí y al minuto siguiente estaba volando por los aires y aterricé encima del capó de su coche.

—Vale, tranquilo —Jyp lo ayudó a enderezarse —. ¿Estaba borracho o algo así?

Reg resopló: —¿Borracho? ¡Qué va! Cuando volví en mí, estaba rebuscando en mis bolsillos, me contó un cuento de que estaba buscando mi licencia de conducir para ver quién era yo. No podía esperar, ¿verdad?

Jyp tuvo una repentina premonición de culpabilidad y sacó el móvil. —No era esto lo que buscaba, ¿verdad?

Reg lo cogió con gesto cansado. —Ah, gracias. Lo dudo, probablemente estaba buscando dinero, no se detuvo a decírmelo. Por cierto, ¿tuviste suerte con las fotos?

—Por supuesto, aquí las tienes. ¿Estas son buenas?

Reg hojeó las impresiones y las miró con reverencia. —Es hermosa, ¿verdad?

Jyp tosió y trató de no estremecerse. —Sí, genial, ¿cómo te encuentras?

—Oh, un tío amable llamó por teléfono para pedir una ambulancia y me remendaron. Querían llevarme rápidamente al hospital, pero yo estaba deseando volver —miró las fotos con nostalgia—. Estaba deseando ver su cara.

—¿Alguien está hablando de mí? —una voz le susurró al oído— Oh Reg, ¿qué te han hecho? —Después de escuchar las explicaciones, miró embelesada las fotos y volvió a mirar a Reg—. Qué maravillosas. ¿Soy yo realmente? —Sin esperar respuesta, lo asfixió a besos.— Oh, pobrecito, ¿hiciste esto solo por mí?

Reg, recuperándose con una sonrisa de felicidad, dejó las cosas claras —Yo solo saqué las fotos, fue Jyp quien se tomó la molestia de hacer las copias.

Antes de que pudiera terminar, Patience se inclinó cruzándose y le dio un beso en la cara para asegurarse de que no se olvidaba de él, justo cuando Julie entraba.

—¿Qué pasa contigo? —gimió ella, tan pronto como se encontraron a solas—. Solo tengo que salir de la oficina durante cinco minutos para que vuelvas a hacerlo.

—Pero Julie, puedo explicártelo.

—Será mejor que sea una buena excusa, es todo lo que puedo decir. Y bien, ¿cuál es la excusa esta vez?

Jyp respiró hondo, preguntándose por dónde empezar. Ordenó sus hechos y bajó la voz, después de echar un vistazo rápido a su alrededor —Bueno, ya sabes lo loco que está Reg con respecto a Patience.

Julie tamborileó con los dedos sobre el escritorio. —Parece que él no es el único.

—¡Eso no es verdad! —Jyp se aclaró la garganta y volvió a intentarlo—. Todo empezó cuando convencí a Reg de que sacara una foto de Patience en la oficina de Morris, para poder incluir una foto de él también.

—¿Por qué querías una foto de Morris?

—Ya te lo dije. La tía Cis quería una porque estaba segura —vaciló— de que era alguien a quien conocía y del que sospechaba que era un donjuán.

—Como alguien más a quien yo podría mencionar —interrumpió Julie con frialdad.

—Bueno, en todo caso, convencí a Reg de que me dejara tener su móvil e imprimí algunas copias en casa para que Reg pudiera tener las copias que quería y al mismo tiempo, logré imprimir una copia de Morris para la tía Cis.

—¿Y eso en qué ayudó?

Jyp se humedeció los labios —La tía Cis lo reconoció de inmediato y quiere que yo… bueno, no importa lo que ella quiera. La conclusión es que Morris pensó que Reg podría tener alguna foto incriminatoria que podría hacerle algún daño y trató de apoderarse de ella anoche antes de que Reg se fuera —hizo una pausa para dejar que esto se asimilara y prosiguió— Lo siguiente que hacen al pobre Reg es atropellarle fuera de la oficina esta mañana cuando entraba y alguien revisó sus bolsillos. Puedes adivinar el resto.

Julie se contuvo. —¿Estás intentando decir que Charles fue el responsable de eso? No lo creo, debes estar loco. Sé lo que pasa, ¡estás celoso! Siempre ha sido amable y considerado. —Fortalecida por su diagnóstico, se sintió más reafirmada y estuvo casi inclinada a olvidar todo el asunto y atribuirlo a los chismes de la oficina.

—Compruébalo tú misma —dijo Jyp brevemente—. Pregúntaselo a Reg tú misma.

—No me lo puedo creer. ¿Dónde está Reg? Debo ver cómo está, pobre hombre.

—No es un espectáculo agradable —advirtió Jyp torpemente—. Creo que Patience está con él ahora. No le veo lo suficientemente en forma para hacer algo en este momento en su condición. Supongo que ella estará pidiendo un taxi para llevarlo a casa.

—Bien por ella. De todos modos —ella soltó una pulla como despedida—, te complacerá saber que no tendré que escuchar más vuestras tontas peleas de oficina por mucho más tiempo. Tan pronto como vea a Reg, voy a hablar con Charles para presentar mi renuncia.

—Pero ¿por qué? ¿Es por algo que he dicho? —dijo Jyp, desconcertado, pero el sonido de la puerta cerrándose detrás de ella fue la única respuesta que recibió. Sorprendido por su repentino anuncio, se

quedó aturdido. Él se entretuvo por la oficina, recogiendo papeles y volviéndolos a dejar sin rumbo
fijo, tratando de buscar el sentido de la decisión de
ella y preguntándose qué demonios podía hacer
para arreglar las cosas entre ellos nuevamente.

Mientras tanto, más avanzada la tarde, detrás de
la puerta cerrada de su oficina privada, Morris se
estaba abrazando a sí mismo ante la asombrosa
buena noticia que Julie le acababa de contar en confianza, mezclado con un profundo sentimiento de
frustración por no tener a nadie en quien confiar
para compartirla, cuando sonó el teléfono.

—¿Eres tú, Charles?

Con un hormigueo de emoción, Morris reconoció instantáneamente esos tonos melosos que
casi había dejado de escuchar de nuevo.

—¿Simone? ¿Eres tú? ¿Dónde has estado? Te estaba buscando por todas partes.

—Yo también te he echado de menos, Charles
—fue su triste respuesta—. Desde ese terrible
asunto en el hotel, la embajada prácticamente me
repudió. Me trataron como a un... como tú dices...
como a un *muegle*.

—Mueble —corrigió él automáticamente—. No
importa, ¿qué pasó?

—Te lo estoy diciendo, *queguido*. Solo porque
confundí a ese viejo aburrido, el Brigadier, con *Jeep*,
me enviaron a algún lugar espantoso en las afueras

de Mongolia o en algún lado... Pensé que había llegado mi última hora.

—Espera un momento, ¿qué has dicho sobre Jyp?

—Creí que lo sabías, el gerente era un estirado. Nunca pensé que sería su última palabra, habrían pensado que había cometido algún crimen, arrastrándome así. Estaba desconsolada, querido y deberías haber oído lo que me llamó la esposa del Brigadier.

—No importa lo que dijera el gerente.

—Deberías haber estado allí, ¿dónde estabas? Estaba perdida sin ti.

—Sí, sí, pero ¿qué me dices de Jyp? ¿Hiciste lo que te dije?

Una risa tímida llegó flotando por el teléfono. —Pero, cariño, sabes que siempre hago lo que me dices.

Morris trató de disimular una nota de ansiedad en su voz: —¿Lo viste después de que te dejé?

—Claro, tonto. Llamó a mi puerta pensando que era el servicio de caballeros y lo convencí de que se quedara.

—¿Y luego?, ¿qué ocurrió? —su voz se agudizó —. ¿No lo dejaste escapar?

Un susurro ronco fue todo lo que pudo oír al principio, luego un gorgoteo.

—¿Qué ha sido eso? ¿Sigues ahí?

—Solo estaba pensando. Era un hombre tan tímido y tonto. Estaba pensando en todo tipo de excusas para escapar cuando se dio cuenta.

—Se dio cuenta ¿de qué? —casi gritó.

—Bueno, estábamos, como tú dices, juntos en ello.

Él dejó escapar un suspiro de alivio reprimido. —¿Estás diciendo que estaba en la cama contigo?

—Por supuesto —su respuesta tenía una nota de reproche—. No he perdido mi toque, como pudo comprobar.

—Escucha, Simone, esto es importante. ¿Me enviarás un correo electrónico con todos los detalles? Y asegúrate de no omitir nada

—Sabes que haría cualquier cosa por ti, cariño. ¿Y tú qué me cuentas? Estoy deseando saber todo sobre ti y lo que has estado haciendo, chico malo.

—No te lo vas a creer, Simone, pero tenemos una oportunidad única en la vida —bajó la voz con cautela por si alguien estaba escuchando—. Esa joven secretaria mía de la que te estaba hablando.

—¿Julie? —su voz sonaba como un reproche—. Creí que prometiste mantenerte alejado de ella, después de todas esas otras chicas de las que me hablaste.

—No es nada de eso —se apresuró a asegurarle —. Esta vez es puro negocio.

—Eso es lo que me dijiste la última vez —le recordó—. Y la vez anterior.

—No, esto es estrictamente subir como la espuma —prometió con fervor—. Sabes que eres la única, en lo que a mí respecta. Siempre lo fuiste —añadió rápidamente para evitar que salieran a la luz más detalles de su historia pasada—. Escucha, este es el golpe de todos los golpes. Fíjate —se colocó en una posición más cómoda—. Esta Julie acaba de regresar de ver a su antiguo abogado por la muerte de su abuelo y espera, ¡le ha dejado una fortuna!

—¡Hala! —ella le interrumpió haciéndose consciente— y la vas a ayudar a invertirlo.

—¡Para el carro! Tenemos que pensarlo con calma, paso a paso —le advirtió—. Ella se siente molesta por el viejo, al ver que era su favorita, así que tenemos que ser un poco cautelosos. Está buscando a alguien en quien pueda confiar y que la ayude a superarlo, así que tú vas a estar allí para ser el hombre en el que apoyarse.

—Te entiendo, un acercamiento discreto, siempre fuiste bueno en eso, amor.

Él sonrió y se pasó una mano por el pelo. —Mientras tanto, envíame ese correo electrónico de inmediato. Lo necesito para silenciar a ese mocoso de Jyp que me está pisando los talones. Creo que se imagina a sí mismo en ese departamento y tengo que ponerle fin, enseguida.

—Lo haré, lo escribo ahora mismo.

Y no te olvides de poner todas las travesuras, calentarlo, ya sabes a qué me refiero.

—Lo tengo, amor. ¡Yo me encargo de él! —su voz furtiva se convirtió en un chillido— ¡Yuuupi! ¿quién hubiera pensado que llegaríamos tan lejos con esa alondra espía?

—Tranquila —miró furtivamente a su alrededor—. Nunca se sabe quién podría estar escuchando, podríamos tener los teléfonos intervenidos.

—¿Estás bromeando? No me digas que no has pensado en eso. Sí señor, por fin estamos sobre una mina de oro. Todos esos años de engañar a esos locos de la seguridad han dado sus frutos; por fin estamos forrados de dinero, amor.

—Bueno, no cantes victoria todavía. Envía ese correo electrónico y yo me prepararé para darle la noticia a Julie, eso debería poner fin a ese entrometido oficinista. Estoy impaciente por escuchar lo que dice.

Felizmente ignorantes, Julie y Jyp continuaron con sus tareas habituales sin darse cuenta de las nubes oscuras que se acumulaban sobre sus cabezas.

En una habitación contigua, Julie se sorprendió por los efectos del accidente que había dejado su huella en Reg y se sintió aliviada al ver una relación incipiente que estaba teniendo lugar ante sus ojos. Inmediatamente se hizo evidente que estaba disfrutando de su reencuentro con Patience, a quien hasta ese momento le había considerado con profundas sospechas una rival por el afecto de Jyp. De hecho, existía una atmósfera tan acogedora de amoroso cuidado entre los dos que quedó completamente desarmada por el espectáculo de Patience abrazando al inválido con amoroso cuidado.

—Oh, disculpen por irrumpir de esta manera, pero Jyp me lo contó todo y tenía que verlo con mis propios ojos. Pobrecito, ¿qué te han hecho?

Desenredándose con dificultad, Reg sonrió satisfecho. —No importa lo que hizo ese conductor idiota, nos ha unido y eso es todo lo que siempre quise, ¿eh, cariño?

Acariciándole la cara, Patience se acurrucó más cerca. —Oh, sí, nunca me di cuenta de lo mucho que me importaba antes de que le sucediera eso a mi pobre cariñito. —Ella suspiró— Creo que fueron esas hermosas fotos las responsables. Eran tan encantadoras, gracias; cariño. No sabía que eras un fotógrafo tan inteligente.

—Para ser justos —admitió Reg—, si no fuera porque Jyp hizo esas impresiones en casa, habríamos estado en apuros. Ese puto ladrón que se estrelló contra mí podría habérselas llevado si hubiera tenido la oportunidad—. Miró a Julie. —Supongo que Jyp te ha contado cómo revisó todos mis bolsillos.

Al escuchar su relato sin adornos del incidente, Julie experimentó un sentimiento de culpa por no haber creído a Jyp en primer lugar y se prometió a sí misma que lo compensaría de alguna manera. Sintiéndose más animada ante esa perspectiva, Julie se inclinó y palmeó la mano de Reg. —Me alegro tanto de que te sientas mejor, Reg. Ahora debes prometerme que te lo tomarás con calma. Hablaré con el señor Morris para asegurarme de que tengas unos días libres para reponerte.

Con su agradecimiento resonando en sus oídos, Julie se dispuso a buscar a Jyp para disculparse por su comportamiento. Se encontró con él justo cuando buscaba entre sus escritos, tratando de encontrar un ejemplo de la letra de Morris sin éxito.

Al verla, dejó caer rápidamente los papeles sobre el escritorio, esperando que no le hubiera visto, pero Julie estaba tan preocupada por decidir la mejor manera de acercarse a él que no pareció darse cuenta.

—Estás aquí, cariño —ella sonrió tentativamente, acariciando su brazo con la mano. Luego, decidiendo tomar al toro por los cuernos, lo miró suplicante— Fui terriblemente mezquina al no confiar en ti. ¿Me has perdonado?

Parpadeando ante el repentino cambio de opinión, Jyp la tranquilizó apresuradamente —No lo piense más.

Ella se balanceó hacia él —¿Eso significa que me he ganado un beso?

Jyp se iluminó como una bengala en una noche de fuegos artificiales. Ajustando hechos y palabras, la estrechó entre sus brazos y le dio un beso largo y prolongado. —¿Cómo este?

—Mmm. Me alegro tanto de que volvamos a estar juntos, cariño —ella se volvió práctica—. Y ahora que lo hemos solucionado, tengo mucho que contarte sobre mi maravilloso abuelo —se secó una lágrima—. Nunca adivinarías lo que ha hecho.

Él sonrió con indulgencia y se arriesgó a hacer una suposición al azar. —¿Te ha dejado su colección de ositos de peluche?

—No, me ha dejado una colección de anillos y cosas que se han transmitido a través de la familia desde siempre. No me lo puedo creer. No sé cuánto valen, pero significa que no tendremos que preocuparnos por el dinero simplemente durante años. ¿Qué te parece? —ella tembló de emoción ante la idea.

Él no dijo nada y después de un rato la soltó.

—Bueno, ¿qué piensas? No tendrás más preocupaciones por buscar ni a espías ni al coco —ella lo miró de nuevo conteniendo el aliento, esperando su aprobación.

Jyp se movió inquieto. —Tendré que pensarlo. Nunca he tenido que depender de nadie.

—Pero soy yo, tontito; solo nosotros dos, nadie más. —Ella se separó— Oh, eso suena como a su señoría, enseguida voy.

Cinco minutos más tarde ella estaba de vuelta, con el rostro tenso y pálido. —¿Has visto esto? —preguntó agitando un correo electrónico ante él.

Con la mente todavía lidiando con lo que significaría el futuro para ambos, respondió distraídamente —No, ¿qué es?

En ese momento se percató de su cara y se alarmó por el cambio. Atrás quedó su aire de satisfacción y certeza sobre el futuro. Su mente, que antes estaba llena de pensamientos color de rosa, se desvaneció en un instante y en su lugar una mirada de furia abrasadora fue suficiente para marchitarlo en el acto.

—Ahora entiendo por qué no querías estar atado cuando tenías a esa zorra esperando entre bastidores. ¿Cómo has podido? —y rompió a llorar.

Jyp la miró impotente. —¿De qué estás hablando? En lo que a mí respecta, no hay nadie más, nunca lo hubo.

—Entonces, ¿cómo explicas esto? Ella le blandió el correo electrónico con furia.

—No sé de qué me hablas.

Julie ardía mientras leía un extracto: «¡Cuánto anhelo tenerte de nuevo en la cama después de nuestra noche de pasión!» Ella miró al final de la página: —Y adivina por quién está firmada: Simone, ¿la recuerdas?

Jyp tragó saliva y tartamudeó —No fue así, lo has entendido mal.

—¿Así que admites que estuviste en la cama con ella? —Julie le tiró el correo electrónico con desdén—. Será mejor que veas qué más ha dicho, por si lo has olvidado.

Tomándolo con cautela, lo sostuvo con los brazos extendidos y lo leyó como si estuviera a punto de estallar en su cara. Recuperando la cordura, tembló de incredulidad ante las palabras. —Es todo mentira. Escucha, si quieres la verdad, admito que estuve con ella en la cama.

—Eso es todo lo que quiero saber —gritó ella, apartándolo—. Has estado fingiendo que me querías y todo el tiempo has seguido con esta... —las palabras le fallaron.

Él la agarró del brazo. —No lo entiendes, entré a su habitación por error buscando el baño y ella me suministró un narcótico y cuando desperté hizo todo lo posible para que me quedara.

—Y, por supuesto, tú te negaste —terminó ella con desdén—. Una hermosa historia.

—¡Es la verdad! —persistió él con vehemencia
—. Te doy mi palabra. ¿No lo ves? Es todo cosa de
Morris, trata de separarnos.

—Así que todo es culpa de Charles, ¿verdad?
Bueno, eso es todo, en lo que a mí respecta. Puedes
tener a tu fulana y hacer lo que quieras con ella. ¡He
terminado contigo y no quiero volver a verte nunca
más! —Con eso rompió a llorar y salió furiosa de la
habitación.

12

UN ICEBERG SOBRE RUEDAS

A medida que avanzaba el día, la atmósfera en la oficina se volvió cada vez más sombría. Julie caminaba tiesa, sin hablar con nadie. Jyp hacía tiempo que había dejado de intentar sacarle una respuesta después de varios encuentros fríos. Y Reg todavía se resistía a los esfuerzos de Patience porque se fuera a casa y descansara, mientras él hacía todo lo posible por interceder en nombre de Jyp, sin éxito.

En resumen, si alguien hubiera tenido la temeridad de llamar por cualquier motivo, se habría encontrado con una respuesta tan vacía que podría haber pensado que se había adentrado en algún tipo de cuartel general del servicio secreto.

Mientras él meditaba sobre la actitud equivocada de Julie y la injusticia de todo esto, mezclado con el remordimiento por no haber sido sincero con ella antes, se quedó preguntándose cómo demonios podía conseguir la información que su tía tanto necesitaba y para lo que ella había confiado en que él se la proporcionaría. Si de alguna manera pudiera demostrar de una vez por todas lo ladrón que era en realidad Morris, podría marcar una gran diferencia y ayudar a reparar la fría relación que había crecido entre él y Julie. No es que hubiera una gran diferencia en su futuro juntos ahora que ella había ganado todo ese dinero, pensó de mal humor. Tuvo que admitir que incluso si lograban reunirse de nuevo, la idea de tener que depender de su riqueza golpeaba su orgullo donde dolía e iba en contra de todas las creencias de toda su vida de que el hombre debería ser el único sostén de la familia.

Su desdichado estado de ánimo fue interrumpido por la aparición de Patience, que lo llamaba desde la puerta. Echando un rápido vistazo a su alrededor para asegurarse de que Julie no estuviera cerca y encontrara algo más de lo que acusarlo, rápidamente se unió a ella.

—¿Qué pasa? ¿Está bien Reg? —preguntó ansioso.

—Sí, está bien. Se le está haciendo demasiado cuesta arriba después de ese accidente, así que lo llevaré a casa. ¿Hay algo por lo que quieras verlo antes de irnos?

—Sí, dile... —En el último minuto luchó por contener las palabras que le vinieron a la mente y decidió que los acontecimientos ya eran lo suficientemente complicados como para no involucrar a Patience—. Ya voy yo y le digo algo —él intentó ganar tiempo.

—Bueno, ya ves Reg —terminó su relato sin convicción—, todo se está poniendo bastante difícil.

—¿Difícil? No sé de qué te quejas —Reg se rascó la cabeza con asombro—. Vamos a dejar esto claro. ¿Julie ha recibido de repente todo este dinero y eso es un problema? Amigo, si yo estuviera en tus zapatos me estaría riendo a carcajadas, no dando vueltas como una vaca perdida. Por eso te lo pregunto.

—Bueno, yo veo las cosas de otra manera —Jyp permaneció obstinadamente taciturno.

—Ahora, si ese tipo Morris, se entera, va a estar encima de ella —reflexionó Reg—. Si yo fuera usted, le diría algo al respecto.

—No es buena idea, ella ahora nunca me escuchará después del episodio de Simone —Jyp exhaló un suspiro.

—Ella es un iceberg sobre ruedas. Yo bien podría no existir y en cuanto a Morris, no creo que él se preocupe demasiado por mí. De hecho, tengo un mal presentimiento...

Su conversación con el corazón en la mano fue

interrumpida por Patience que merodeaba en el fondo, mirando ansiosamente, como una gallina que defiende a su polluelo. —Oye, no pongas nervioso a mi Reg, ¿no ves que todavía es un inválido y necesita que lo atiendan? De hecho, es hora de que te lleve a casa y descanses bien, Reg querido. No te importa, ¿verdad, Jefferson?

—No, no, tienes toda la razón —dio un paso atrás y les indicó que se fueran—. Vete, Reg, y asegúrate de descansar un poco y si no estoy cerca por alguna razón cuando regreses —vaciló—, vigila las cosas y asegúrate de que ella esté bien.

—No hay problema —señaló Reg mientras se lo llevaban—. Yo me encargo.

Sintiéndose tranquilo, Jyp se volvió e inmediatamente se encontró cara a cara con Julie.

Hubo una pausa incómoda. Jyp intentó llenar el vacío —Acabas de perderte a Reg, se ha ido a casa. ¿Hay alguna cosa que pueda hacer?

—Ya has hecho bastante, gracias —comentó fríamente. Voy a almorzar con Charles, alguien en quien puedo confiar.

Todavía dolido por su cambio de actitud, Jyp se volvió para irse abatido y luego se detuvo, su mente estaba trabajando furiosamente. Si Morris la iba a llevar a almorzar, esto le dio la oportunidad que estaba esperando. Regresó a la oficina y estuvo atento hasta que escuchó un murmullo de voces y luego el sonido de una puerta cerrándose.

Después de unos minutos, contó hasta veinte y se aventuró. Para asegurarse, llamó a la puerta de Morris y esperó, con los nervios de punta, luego abrió la puerta y entró. La habitación estaba vacía. Sin perder más tiempo, buscó en el escritorio la información que buscaba. Estaba a punto de darse por vencido cuando vio un trozo de papel medio rasgado que sobresalía de debajo de una pila de correspondencia. Lo agarró y lo examinó con entusiasmo. Era una breve nota escrita a mano para Julie firmada por Charles. Su corazón dio un salto, justo lo que quería.

Justo cuando lo guardaba cuidadosamente, doblándolo entre otras dos hojas para evitar dejar huellas, la puerta se abrió de repente y entró Morris.

—¿Qué estás haciendo?

La voz salió de la nada, la última voz que esperaba. Saltando hacia atrás nerviosamente, Jyp tartamudeó —Solo ordenando para ahorrar tiempo.

—Gracias, yo puedo ocuparme de eso —le espetó Morris, mirando a su alrededor con recelo. Entonces sintió que era necesaria una explicación— Olvidé mi monedero. —Tomándolo, lo abrió para comprobar que el contenido seguía allí. Satisfecho, se lo guardó en el bolsillo y miró fijamente a Jyp—. No es necesario que esperes, Julie se encargará de las cosas cuando regresemos. —Como para enfatizar la frase, flexionó los dedos provocando un sonido familiar en la memoria de Jyp.

—No, por supuesto —Jyp retrocedió apresuradamente hacia la puerta, satisfecho con la idea de que había asegurado lo que estaba buscando, dejando a Morris lleno de la certeza de que había que hacer algo para deshacerse del creciente problema que representaba Jyp.

Una vez fuera, Jyp se secó la frente. Satisfecho de ver que Patience había regresado y era capaz de mantener el fuerte, se apresuró a marcharse, con la intención de devolverle las pruebas a la tía Cis y con la prisa, apenas se dio cuenta de que Julie esperaba en la entrada.

Afortunadamente para él, no era uno de los días de partida de bridge de su tía y ella se abalanzó sobre la prueba que le presentó con entusiasmo. —¿Estás seguro de que no has tocado esto? —preguntó, mientras guardaba el papel cuidadosamente en un pañuelo de papel—. Bien —asintió ella satisfecha cuando Jyp levantó sus pulgares—. Ahora todo lo que tenemos que hacer es revisar esto, ¿algo más? —ella notó su leve vacilación y esperó.

—Hay algo que me sigue preocupando. Ah, sí —recordó—, tiene esta peculiar costumbre de flexionar los nudillos, así —demostró entrelazando las manos. Cuando recuperó la memoria, chasqueó los dedos— ¡Eso es! Sabía que había algo extraño en ello, su dedo medio tiene una banda blanca, como si...

—¡Le faltara un anillo de bodas! —exclamó su tía triunfalmente—. Bien hecho.

—Por supuesto —agregó tratando de ser justa —, podría significar que está divorciado, pero si tu Julie lo supiera, sin duda sería un chasco y la haría pensárlo dos veces.

—Le costará mucho más creer cualquier cosa que le diga ahora —objetó Jyp tristemente.

—Anímate —ordenó su tía—, pronto lo averiguaremos; mientras tanto, por lo que me estabas diciendo, deberías vigilar tus pasos en lo que a Morris se refiere. Quizás sería más seguro si te mantuvieras alejado de la oficina durante los próximos días hasta que obtengamos una respuesta sobre esto. Le llamaré y le diré que estás enfermo, si quieres.

—No, mejor no —respondió Jyp pensándolo bien—. Sólo le hará sospechar más y podría escaparse antes de que tengamos nuestra prueba.

—Si tú lo dices —su tía reflexionó sobre el problema y advirtió— Bueno, hagas lo que hagas, ten cuidado. Es probable que un hombre así no se detenga ante nada cuando tiene la perspectiva de un botín de joyas colgando de la punta de sus dedos.

—No te preocupes, tendré especial cuidado por el bien de Julie —prometió Jyp y dejaron el tema, aunque era consciente de que se estaban metiendo en aguas peligrosas.

Inmediatamente regresó a la oficina donde todos sus intentos de arreglar los obstáculos se encontraron con una respuesta tan fría que tuvo la clara impresión de que Morris había pasado la mayor parte de la hora del almuerzo convenciendo a Julie para que considerara a Jyp como una especie de monstruo. Cada vez más deprimido por la atmósfera opresiva, Jyp decidió visitar a Reg y disculpándose con Patience, se dirigió a la dirección que ella le dio.

Animado ante la perspectiva de aliviar su aburrimiento, Reg escuchó con avidez las últimas noticias de la oficina y la importancia de sus descubrimientos y estuvo de acuerdo con la tía de Jyp en su diagnóstico de la situación.

—Escucha, Jyp, viejo amigo, he visto algunos personajes extraños en mi época, pero este personaje de Morris me parece el peor de todos; yo vigilaría mis pasos, si fuera tú. Tu tía tenía toda la razón, ¿hay algo que puedas hacer para mantenerte alejado de la oficina hasta que se le ocurra lo que necesita? Parece que Morris haría cualquier cosa para poner sus guantes en esas gemas de la señorita Julie.

—Intentaré pensar en algo, pero ¿cómo te va?

—No te preocupes por mí. Esta pequeña charla nuestra me ha hecho mucho bien. Volveré a la oficina tan pronto como pueda y estaré vigilante. Pero mantenme informado.

—Lo haré. No creo que se atreva a hacer nada mientras los dos estemos allí. Mientras tanto, creo que me tomaré el resto de la tarde libre y me prepararé para lo que sea que nos depare el mañana, sea cual sea el estado de ánimo en el que se encuentre.

Similares preocupaciones se están viendo al más alto nivel, después de una amplia revisión en los recovecos internos del Whitehall.

—Oye, Binky, viejo amigo, ¿has oído las últimas noticias?

—Lo sé, ¿no es terrible?

—Justo cuando pensábamos que lo habíamos solucionado todo, esto tenía que suceder.

—Lo sé, hicimos lo mejor posible, pero no fue lo suficientemente bueno.

—Nunca deberían haberlo puesto.

—Esta vez lo arruinó.

—Supongo que no seremos capaces de arreglarlo ahora. Otra cagada.

—Lo que queremos es otro bateador rápido, con la mirada puesta en la pelota.

—Sería más interesante hacer como si nada hubiera pasado.

—Lo que necesitamos es una jugada que nos dé tiempo de ponernos las pilas.

—¿Qué le pasó a Freddie Truman?

—Nunca ha sido lo mismo desde que Denis Compton se lo cargó.

—Nunca una palabra más verdadera. Es repugnante ¿no?, cuando crees que inventamos el bendito juego.

—No es bueno, pensemos en cosas más alegres.

—Al menos todavía tenemos a ese tal Morris haciendo un buen trabajo en Plumpton.

—Calma, viejo, las paredes tienen oídos.

—Gracias al cielo por las pequeñas misericordias. Digo que fue un golpe brillante meter a ese hombre; les habrá enseñado una o dos cosas allí abajo, ¿o no?

—Yo no podría haberlo expresado mejor. No hemos oído ni un susurro de nada que esté sucediendo allí abajo estos días.

—Supongo que se están acostumbrando a que esa joven secretaria deslumbrante esté ganando todo ese dinero del que nos estaban hablando. Ahora estarán haciendo cola para salir con ella, no me sorprendería. No me importaría tomarme una copa con ella yo mismo.

—Espero que no lo eche todo a perder, no podemos permitirnos perder a ninguno de ellos después de ese otro ataque de hipo.

—Si sigue así, tendremos que proponerle para una medalla ¿o no?

—No me sorprendería.

—No podíamos haberlo hecho mejor. Tengo la mayor fe en Morris, uno de esos tipos firmes en los que se puede confiar. Recuérdame que lo llame alguna vez para ver cómo está.

—Claro, viejo amigo. Ya no los hacen así; sal de la tierra, sin excepción. ¿Dónde habría estado el Imperio Británico sin ellos?

—Oye, eso me recuerda, veo que el sol está sobre el jardín. Es hora de un trago rápido, ¿eh?

—Nunca una palabra más cierta; vamos por él, viejo amigo.

Cuando Jyp regresó a casa, se sintió tan abrumado por los acontecimientos del día que lo único que quería era una noche tranquila, para darle tiempo para afrontar cualquier truco tortuoso que Morris pudiera lanzarle por la mañana. Se sentó y vio un par de episodios de animación que trataban de un superhombre que venía al rescate de una heroína secuestrada, antes de que su tía notara su rostro cansado y su aire preocupado e instantáneamente se hiciera cargo.

—Lo que necesitas es un baño caliente y una buena noche de sueño. Mientras te pones a remojo, prepararé un poco de sopa y te la llevas a la cama contigo, muchacho. Tendrás que arreglarte con mi toalla vieja por el momento, hasta que traigan la nueva —ella le dio una palmadita comprensiva—. Pero viendo el estado en el que te encuentras, supongo que eso no importa. ¡Vete! Yo voy preparando la sopa.

Jyp no necesitó más estímulos. Con un suspiro de alivio, preparó el baño y se recostó sumergiéndose felizmente. Habría estado feliz de quedarse allí indefinidamente, pero un grito desde abajo lo devolvió a la realidad y luchando por contener un bostezo y secándose a regañadientes, se puso una bata y se reunió con su tía en la cocina.

Dejando la cuchara después del último bocado, con otro bostezo prodigioso, Jyp se disculpó y subió las escaleras, llevándose la toalla para dejar que se secara en el respaldo de una silla. Apartando la ropa de cama, Jyp se alegró de ver que su tía le había metido una bolsa de agua caliente. Mientras se hundía y disfrutaba de la lujosa calidez, escuchó a su tía gritar —No te tropieces con la pelota de fútbol, viene de la puerta de al lado otra vez. Ah, y he dejado mi viejo bastón allí. Si quieres algo por la noche, simplemente da un golpe en el suelo.

—Gracias, tía —murmuró Jyp, adormilado y se quedó allí mirando distraído la pelota sobre la silla y la larga toalla de baño que cubría el respaldo.

Mientras miraba hipnotizado por la pelota, las oleadas de sueño comenzaron a invadirlo y comenzó a ir a la deriva sin esfuerzo y sintió que lo levantaban y transportaban en una sucesión de escenas cambiantes, desde el campo hasta las calles de Londres, subiendo las escaleras de Downing Street y llegando a una puerta con un cartel que decía "Oficina del Gabinete" En el interior, una fila de estadistas ancianos estaban sentados en fila expectantes, y la imagen de una pelota de fútbol que se había quedado firmemente grabada en su mente fue reemplazada por los augustos rasgos del Ministro del Interior.

Mientras vacilaba, el rostro que estaba frente a él perdió su severidad y le ofreció una sonrisa de bienvenida. —No se quede de pie en la ceremonia, siéntese muchacho.

Jyp obedeció y se sentó ansioso. ¿Qué había hecho para merecer esto? pensó febrilmente.

Al darse cuenta de su ansiedad, el hombre que encabezaba la reunión rompió el silencio —Es posible que se pregunte por qué le pedimos que asistiera a esta reunión especial.

Jyp tragó saliva —Sí, señor.

Antes de continuar, el funcionario miró a sus colegas en busca de confirmación y tranquilizado, continuó —Puede estar seguro de que no hubiéramos considerado tal acción si el asunto no hubiera sido de la más alta prioridad nacional. —Él tosió— Si puedo explicarlo, Primer Ministro.

—Sí, sí, adelante —el Primer Ministro consultó su reloj—, puede que ya sea demasiado tarde.

—Bastante, sí —su colega de gabinete se volvió hacia Jyp—. Por supuesto, esto debe tratarse de manera sumamente confidencial debido a la gravedad de la situación y no debe ir más allá de estas cuatro paredes. ¿Tengo completa seguridad sobre esto?

—Por supuesto —respondió Jyp, con la voz seca, abrumado por la gravedad de la ocasión.

—Bien —desdobló un mapa y trazó una ruta—. En este mismo momento, una gran flota de buques de guerra enemigos está entrando en el Canal de la Mancha con la intención de invadir nuestro país y la única defensa que tenemos para resistirlos es una fragata que ya está preparada para ser desmantelada.

Tras un furioso asentimiento de cabezas por parte de los demás, añadió rápidamente —Naturalmente, nuestros hombres son del más alto calibre y están listos para luchar hasta el último suspiro, como era de esperar, pero hay una complicación adicional.

—¿Sí? —preguntó Jyp débilmente.

El oficial hizo un llamamiento a los demás y el Primer Ministro ladró —Por el amor de Dios, adelante, de lo contrario estaremos aquí toda la noche, hombre.

—La cosa es —tragó saliva—, que nos están chantajeando con la hija de uno de nuestros oficiales más destacados que no quiere ser identificado —otra mirada rápida a su alrededor— y dicen que si no estamos de acuerdo con sus demandas, no se le permitirá salir libre. —Se pasó un dedo por la garganta expresivamente. Ante sus palabras, una reacción mezcla de horror e indignación resonó en la habitación.

Jyp miró a cada uno de ellos por turno, mientras su entusiasmo se desvanecía, esperando que alguien tuviera la respuesta, cualquier respuesta. —¿No hay nadie a quien puedan llamar para que les ayude? —Mientras hablaba, se encontró a sí mismo en el blanco de una hilera de ojos que lo taladraban, cuyos rostros se parecían notablemente a los dueños de las tiendas que había encontrado fuera de su oficina.

El Primer Ministro se puso de pie y le dio una palmada en la espalda con entusiasmo, mientras los demás se agolpaban entusiasmados. —Exactamente, sabía que tendrías la respuesta, ¿cuándo puedes empezar?

—¿Yo? No querrá decir... —se puso de pie, horrorizado ante la perspectiva.

—Tonterías, por supuesto que sí —el Ministro del Interior se le unió y le dio un afectuoso masaje en la espalda—. ¿Es este el hombre que no conoce el miedo? Nuestro mejor cazador de espías, el que se ríe del peligro y acaba con un par de cientos antes del almuerzo, o eso me dice nuestro amigo, el Brigadier Sleuth.

—No, no, todo es un error —se encontró balbuceando—. Solo los coloqué y los sumé. No sabría dar ni siquiera el primer paso para hacerlo.

—No digas más, nos encargaremos de todo eso, al cien por ciento. Permíteme presentarte a nuestro experto en dispositivos de espionaje, él lo pondrá en escena. Mayor, eh, como se llame, es un hombre sensato. Depende de ti, Percy, lo dejaré en tus buenas manos, botones para presionar, etc.

Dejado a sus propios recursos, a Jyp se le unió un hombre alto y lánguido que lo miró de arriba abajo. —Altura media, ejem, veamos qué tenemos —rebuscó en su cartera y sacó un pequeño clip metálico—. Debo mencionar que algunos de estos equipos aún se encuentran en la etapa de desarrollo, por lo que no debemos esperar demasiado. Sin embargo, esto debería funcionar.

Hizo un gesto dirigiendo la mirada hacia el bastón de Jyp. —Veo que ya tienes ahí un arma útil. Ahora bien, si sujetamos este pequeño dispositivo y le damos una posición sobre la que trabajar, eso debería llevarte allí sin ningún problema.

Jyp miró desconcertado. —¿Y qué hago con él cuando llegue?

El hombre de los artilugios pareció sorprendido. —¿No te lo han dicho? Bueno, simplemente entras y rescatas a la dama. Debería haber pensado que estaba al final de tu calle.

—Pero... pero...

—Oh, ah, debería haberlo mencionado, tonto de mí —Percy volvió a mirar dentro de su cartera, sacó un bote y lo atornilló en el extremo del palo—. Esto debería funcionar. Simplemente apunta al tipo y presiona este botón. Sonará como un móvil, así que no te puedes equivocar, eso debería acabar con ellos. Ah, y casi lo olvido, necesitarás esta capa de invisibilidad para darte un elemento de sorpresa. Ah, veo que ya tienes una —Tomó la toalla de baño de Jyp y la envolvió alrededor de su cuello—. Ya está —miró su reloj—. Ya es hora de que me vaya, buena suerte y todo eso.

—Pero suponiendo que no funcione —gritó Jyp,

presa del pánico—. ¿Qué hago? ¿No vienes conmigo?

—Dios santo no, demasiado peligroso, yo solo desarrollo los artilugios. Todo lo que tienes que hacer es sostenerlo así y listo. Mira, deja que te enseñe. Se inclinó y apretó un botón.

Hubo un zumbido y el palo se levantó de golpe.

Cuando sintió que lo elevaban por los aires, Jyp gritó desesperadamente —Pero ¿cómo vuelvo?

Percy levantó sus pulgares y señaló otro botón, su voz casi se perdía en el rugido del motor acelerando —Intenta con ese, al menos creo que es el botón indicado.

Las últimas palabras que escuchó Jyp antes de elevarse hacia el cielo iluminado por las estrellas fueron —Ah, bueno, esperemos que tenga mejor suerte que el último tipo.

Muy por encima, Jyp estaba luchando con los elementos para mantenerse en la ruta de vuelo. Oleadas de sueño lo inundaron mientras trataba de averiguar a dónde iba y lo que era más importante, cómo se las había arreglado para meterse en un lío tan poderoso.

Golpeado por el viento, por fin sintió que se inclinaba hacia un nuevo rumbo y arreglándoselas para mirar hacia abajo a través de una brecha en las nubes, mientras se sostenía, pudo distinguir el contorno de un barco de guerra muy abajo.

Lo que siguió lo convenció de que estaba en medio de una pesadilla. Cuando la cubierta se precipitó hacia él con una velocidad aterradora, Jyp cerró los ojos instintivamente y al momento siguiente sus pies golpearon la cubierta y se desató el infierno. Su toalla se resbaló y como por arte de magia, una multitud de figuras hostiles apareció y corrió hacia él blandiendo sus armas. Recordando las instrucciones del último minuto, Jyp apuntó con su bastón y presionó un botón, provocando un pitido. Inmediatamente, una corriente de llamas azules se extendió por la cubierta y las primeras filas retrocedieron, derritiéndose ante él.

Incapaz de creer lo que veía, Jyp se armó de valor y se abrió paso entre los cuerpos caídos y subió las escaleras hasta la cubierta superior, mirando dentro de los compartimentos mientras avanzaba.

Su atención se centró en unos gritos ahogados que provenían de la última cabina y al abrir la puerta de una patada, se encontró cara a cara con un rostro que reconoció como el del espía que había visto escapar en su primera prueba y detrás de él estaba su viejo enemigo Charles Morris, custodiando una figura atada con cuerdas en el fondo.

Agitando su bastón, Jyp ordenó —¡Deja que se vaya! esperando que el temblor en su voz no se notara.

Burlándose, Morris apuntó con un arma a su cautiva —Suelta el arma o ella morirá.

Aprovechando la situación, el espía más cercano se lanzó inesperadamente hacia Jyp, con la esperanza de tomarlo desprevenido.

Instintivamente, Jyp lo empujó y el hombre retrocedió, sofocando la puntería de Morris.

Al mismo tiempo, su dedo apretó automáticamente el gatillo y apartó a los dos espías del camino.

Dejando caer su bastón, Jyp cayó de rodillas, tirando de la cuerda hasta que la cautiva quedó libre.

Levantando su cabeza para ayudarla a levantarse, Jyp se encontró mirando a su amada, Julie.

—Rápido, rápido, antes de que regresen —suplicó ella—. Han amenazado con matarme.

Justo a tiempo, Jyp recordó presionar el botón derecho cuando la puerta se abrió de golpe.

Pero no fueron las filas hostiles del enemigo las que se enfrentaron a él, sino una tía ansiosa que le sacudió el hombro. —Despierta, Jyp, querido. ¿Sabes qué hora es?

—¿Eh? —Jyp movió la cabeza, sacudiéndose los efectos duraderos de su sueño que aún estaban vívidos en su mente—. ¿La han atrapado?

—¿De qué estás hablando? Date prisa o llegarás tarde a la oficina.

Al ver el estado de lentitud en el que se encontraba, ella insistió —Muévete. Te prepararé el desayuno mientras te vistes.

—Bien. —Hizo un esfuerzo para retirar la ropa de cama y casi se cayó de la cama—. Estaré contigo en medio segundo.

Mirándolo por el rabillo del ojo cuando él entró tambaleándose más tarde mientras ella daba la vuelta al tocino, le preguntó —¿Estás seguro de que estás bien para ir a la oficina? Pareces medio dormido, querido.

—Estoy bien —insistió, casi metiendo el siguiente bocado fuera de la boca.

—Bueno, no me parece que estés bien —observó ella—. Toma esta taza de café para despertarte.

Tomó un trago rápido y mirando la hora, se puso de pie apresuradamente. —¿Es esta hora?

Será mejor que me vaya.

Su tía negó con la cabeza. —Bueno, por el amor de Dios, ten cuidado. Si sé algo sobre ese jefe tuyo, tendrás que vigilar tus pasos. Te diré una cosa —mientras él se levantaba para irse—, ¿por qué no te llevas mi viejo bastón? Al menos tienes algo con lo que defenderte en caso de que intente algo.

Para hacerla feliz, se puso el abrigo y cogió el

bastón obedientemente mientras se giraba para irse. La sensación de la superficie nudosa le trajo algunos recuerdos extraños. —Es gracioso, habría jurado... no importa —añadió apresuradamente—. Te veré esta noche como siempre. No olvides las comprobaciones que estaba haciendo sobre ya sabes quién.

—Y ten cuidado, recuerda —fue su frase de despedida.

13

NADA DEMASIADO EXTENUANTE

Cuando llegó a la oficina, Jyp estaba como esperando una reprimenda por llegar tarde, pero no pasó nada. No se molestó en averiguar nada sobre Julie en vista del abismo que se extendía entre ellos y en su lugar, buscó a su amigo Reg, después de depositar tímidamente su bastón detrás de su escritorio.

—Todo está tranquilo —informó Reg sin que nadie se lo pidiera—. No puedo entenderlo, fíjate. Nos ha estado persiguiendo alrededor de la manzana los últimos días. Debe ser esa novia suya. No, no la señorita Julie —se anticipó a la pregunta que flotaba en los labios de Jyp—. Esa tal Simone... últimamente han estado hablando por teléfono como si no fuera asunto de nadie. Eso significa que no está tramando nada bueno, recuerda mis palabras. Ah, y me pidieron que te hiciera saber que la señorita Julie estará fuera de la oficina la mayor parte del día, algo relacionado con una visita a sus abogados sobre su legado. ¿No te lo dijo?

Jyp negó con un gesto de tristeza —Todavía no nos hablamos.

—Ánimate —Reg trató de ver el lado positivo—. Tarde o temprano volverá cuando descubra lo que se ha perdido.

—Me temo que no tendré tanta suerte. Bueno, será mejor que vaya a ver si hay algún mensaje.

—No te preocupes, Patience te hará saber si "su señoría" te necesita —dijo Reg, sabiendo lo que quería decir su amigo—. Está cubriendo a la señorita Julie hasta que regrese.

Dio la casualidad de que la llamada llegó antes de lo esperado. Tan pronto como se sentó y miró el correo, Patience se asomó sin aliento.

—Oh, estás aquí, Jyp. El jefe quiere verte de inmediato. Lo siento, no te oí entrar —agregó en tono de disculpa—. Yo iría ahora mismo, si fuera tú, llamó hace algún tiempo.

Pero para su sorpresa, Morris no dio señales de estar molesto por nada. En vez de eso, invitó a Jyp a sentarse mientras él terminaba algo de correspondencia. Luego se sentó sonriendo y sacó un archivo. Al abrirlo, lo estudió y aparentemente satisfecho, le acercó la carta de arriba.

—Ahora que ha pasado tu iniciación, por así decirlo, creo que ya es hora de que te demos algo a que hincarle el diente. ¿Te interesa?

Jyp asintió, esperando oír lo que le esperaba. —¿No más folletos de invasores? —preguntó cortésmente y medio en broma, esperando escuchar lo que le esperaba.

—Dios mío, no —le aseguró Morris—. Nada demasiado extenuante, se lo aseguro. Hemos recibido un informe de uno de nuestros agentes de confianza de que ha aparecido información muy interesante en uno de nuestros refugios. Esta es la dirección. Todo lo que tiene que hacer es recogerla. No puedo pedírselo a mi contacto habitual porque está ocupado con otra cosa. ¿Te parece bien?

—Suena bien —respondió Jyp con cautela—. ¿Tengo que identificarme?

—No, nada de eso. Lo he organizado para que lo dejen justo dentro de la puerta principal sobre el tapete. Así de sencillo. ¿Alguna pregunta?

—No —convino Jyp—. ¿Cuándo quiere que lo haga?

—Nada como el presente —respondió Morris con suavidad—. Iría yo mismo si no estuviera esperando una llamada urgente —se puso de pie—. Ah, y será mejor que memorices la dirección y me lo traigas antes de irte, por si acaso.

Jyp miró la carta mientras se levantaba. —Bien,

me iré de inmediato, se lo diré a Patience para que lo sepa.

—No es necesario, yo me ocuparé de eso —mintió Morris con suavidad—. Tengo una o dos cartas para ella.

—Bien —repitió Jyp, haciendo una nota mental para consultar con Reg por si acaso. Olvidándose de las instrucciones que le dio sobre dejar la dirección, la guardó en su bolsillo después de salir de la oficina e inmediatamente buscó a su amigo y le contó su última asignación.

—Me suena sospechoso —fue la reacción instantánea de su amigo—. Yo vigilaría mis pasos, si fuera tú. Ese hombre no te habría enviado así solo para recoger información cuando está a solo diez minutos en taxi, no tiene sentido.

—No te preocupes —Jyp soltó una breve carcajada—, a mí se me ha ocurrido lo mismo. —Vaciló y tomó una decisión. Llegó el momento de que su amigo conociera los hechos reales de la situación y procedió a ponerlo al día sobre los pasos que él y la tía Cis ya habían tomado.

—Verás como cuando mi tía presente las pruebas, nos quedamos sin palabras. Si resulta ser quien la tía Cis cree que es, es él quien ha estado detrás de todos estos fallos de seguridad que hemos tenido. No solo los ha organizado él, sino que ha estado chantajeando a todos los demás gerentes con los que nos hemos topado, para asegurarse de que hagan lo que les dicen. Todo lo que necesitamos ahora es que la tía Cis demuestre que es el hombre que firma con una C —respiró profundamente—. He decidido que no podemos esperar más, especialmente con todo ese dinero de Julie involucrado, así que voy a arriesgarme y ver si muerde el anzuelo.

—¿Como una presa fácil? —preguntó Reg dubitativo—. En ese caso —le entregó su móvil—, ¿por qué no te llevas esto? Nunca se sabe cuándo podría ser útil. No lo dudes si las cosas se ponen complicadas.

—Gracias —Jyp lo guardó—. Así lo haré. Ah, y anota la dirección, por si acaso. Deséame suerte.

—Es todo tuyo —prometió Reg—. Mientras tanto, haré que Patience vigile a "su señoría."

—La única forma de averiguar qué está tramando es grabar sus llamadas, sobre todo en lo que respecta a Julie —respondió Jyp con tristeza—. Ella no me escuchará.

—¿Por qué no pensé en eso? —convino Reg—. Pondré a Patience con ello, no te preocupes.

Mirando a Jyp irse, sacudió la cabeza. Por qué dos personas normalmente racionales se comportaban así a causa del dinero estaba más allá de su comprensión. Después de explicarle las cosas a Patience, un timbre insistente en la puerta principal llamó su atención.

Se puso en pie y se dirigió a la puerta de la tienda, haciendo un gesto a Patience para que se fuera. —No te preocupes amor, yo me encargo.

Cuando llegó allí, un mensajero esperaba en la puerta con un gran paquete en las manos.

—Entrega especial para... —consultó su listado — la señorita Julie Diamond.

Reg estaba a punto de decir que Julie había salido cuando reconoció que era el paquete que esperaban. Rápidamente tomó la libreta de las manos del mensajero y garabateó una firma. —Está bien, yo lo firmaré.

El mensajero se quedó allí indeciso. —Me dijeron que preguntara por ella especialmente, señor.

—Bueno, lo siento, está fuera en este momento, pero me ocuparé de que lo reciba en cuanto esté de vuelta —prometió Reg—. Soy su asistente personal —mintió, cruzando los dedos a la espalda.

—Entonces, está bien —el mensajero guardó su libreta, satisfecho.

Después de que se hubo ido, Reg miró más de cerca el paquete y silbó para sí mismo. —Me pregunto si esto podría tener algo que ver con la herencia de la señorita Julie. Lo sacudió suavemente y lo sopesó. Habiéndose quitado a Jyp del medio, no había nada que impidiera que "su señoría" se lo llevara.

Sólo hay una manera de estar seguro. Se lo

metió bajo el brazo y se dirigió con cautela a lo alto de las escaleras. Justo cuando comenzaba a abrir la puerta, una voz familiar lo detuvo en seco.

—¡Eh, tú! ¿Ya ha vuelto la señorita Julie?

Reg dio un respingo y apresuradamente deslizó el paquete fuera de la vista, detrás de la puerta, mientras se giraba, tratando de mantener la voz firme: —No, señor, todavía no.

—Ah, y la señorita Julie me dijo que espera una entrega en breve. Avíseme cuando llegue para que pueda hacerme cargo de ella. Maldita sea, aquí está mi llamada.

Reg se secó la frente y escapó mientras tuvo la oportunidad.

Cerrando la puerta tras de sí para asegurarse de que no lo molestaran, Morris tomó el teléfono —¿Sí? —ladró—. Oh, eres tú. Por fin —se sentó de repente—. ¿Dónde te habías metido? Escucha. No hay tiempo que perder... Está en camino, sí; debería estar allí en cualquier momento. Asegúrate de tenerlo todo conectado... Sí, tan pronto como entre... Bueno, asegúrate de hacerlo bien esta vez y no olvides llamarme después y avisarme. —Colgó el teléfono de golpe y tamborileó con los dedos sobre el escritorio con impaciencia.

~

Sin conocer el destino que le esperaba, Jyp pagó el taxi y se quedó mirando a lo largo de la hilera de casas adosadas, tratando de averiguar qué casa se suponía que debía visitar. Sacando el trozo de papel, repitió la dirección para sus adentros de nuevo. —Déjame ver de nuevo, ¿cuál era ese número? ¿Era 16 o 91? —dio la vuelta al papel y lo estudió desde diferentes ángulos—. No está bien —se dijo a sí mismo con franqueza—, seamos sinceros, eres un inútil con los números.

Deteniéndose en la casa más cercana, comprobó el número y apenas pudo distinguir el contorno del doce en la puerta, a pesar de la pintura descascarada. —Bien —decidió—, si es un dieciséis lo que queremos, debería estar por aquí. Ah, debe ser esta. —Se detuvo y estaba a punto de entrar por la verja cuando vio un coche que se detenía al otro lado de la carretera. Salió un hombre a quien reconoció de inmediato: era el mismo que se escabulló cuando estaba haciendo esa prueba de iniciación.

Retrocediendo detrás de un arbusto, Jyp vio cómo el hombre entraba en una casa de enfrente, llevando una maleta con cables colgando a un lado. —Eso es, debe ser ese —decidió— el 91, no el 16. Esperó hasta que el hombre volvió a salir algún tiempo después sin la maleta y lo observó mientras se sentaba en el coche, mirando su reloj cada pocos minutos.

—¿*Qué demonios está pasando?* —reflexionó Jyp
—. *Debe haber estado esperando a que yo apareciera,*
¿*qué está tramando?* —la respuesta vino de un lugar
inesperado cuando una camioneta de correos se detuvo repentinamente afuera y un cartero subió los
escalones hasta la puerta principal, hojeando sus
entregas a medida que avanzaba. Inmediatamente,
el hombre del coche tiró su cigarrillo y de un salto,
corrió escaleras arriba y agarró al cartero. Tomado
por sorpresa, el cartero le apartó el brazo e hizo todo
lo posible para seguir adelante, con el hombre col-
gado y en pleno pánico, tratando de detenerlo.

Sin pensarlo, Jyp decidió cruzar la calle para
echar una mano. Pero no había contado con las obs-
tinadas cualidades del cartero británico. Liberán-
dose, el cartero cogió el paquete que tenía la
intención de entregar y lo arrojó por la puerta
abierta.

Jyp estaba a punto de apresurarse a ayudar
cuando se detuvo en seco por un timbre insistente
en el móvil que Reg le había empujado a llevarse
antes de irse. Recordando su sueño de la noche anterior en el que luchaba con el enemigo, instintivamente levantó su bastón en respuesta cuando una
bola de fuego y humo atronadores surgieron de la
casa frente a ellos, empujando a los dos hombres
que tenía enfrente y envolviéndolo en una nebulosa
de humo acre. Cuando la neblina se disipó, un la-

drillo perdido golpeó a Jyp en la frente, lo que le hizo tambalear. Estabilizándose, miró su bastón con asombro e incredulidad antes de que un segundo ladrillo lo golpeara y se desplomara al suelo inconsciente.

De vuelta en la oficina, el gerente estaba envuelto en una fiebre de suspenso. A medida que pasaban los minutos, comenzó a asimilar que la ausencia de cualquier mensaje de su compañero solo podía significar una cosa: su principal amenaza había sido eliminada. Morris miró su reloj. Lo estaba llevando bien, pero si el paquete hubiera llegado aún quedaba tiempo para poner en marcha su plan.

Mirando fuera de su oficina, vio en la zona de recepción un paquete apoyado contra el escritorio de Julie. Se frotó las manos y volvió a recogerse en su oficina.

Comprobando su horario, tomó el teléfono y se comunicó con la operadora. Una vez que estuvo conectado, habló con urgencia con una nota de triunfo —¿Eres tú, Simone? Sí, Charles, tu amante, por supuesto —sus ojos brillaron con anticipación—. Escucha. ¿Recuerdas esa historia falsa que inventamos sobre tú y Jefferson en la cama del hotel? Bueno, ya no necesitamos eso, por fin me he deshecho de esa amenaza. Sí, cayó de lleno, fue directo. No he recibido respuesta, así que nuestro contacto también debe haber estirado la pata. Así que puedes hacer las maletas... ¿Qué?... Sí, está aquí, acabo de verlo. Por fin tenemos el dinero... No, ella está fuera, no hay problema. Le prometí que lo cuidaría hasta que regresara. ¿Sabes qué? La tonta de ella me creyó. ¡Imagínatelo! Cuando terminemos con esas pequeñas bellezas, nadie las reconocerá... Sí, valen mucho. Se acabaron los espías, es un juego de perdedores. Escucha, nos vemos en el aeropuerto en media hora, ya sabes dónde. Adiós.

Cogiendo su pasaporte y su billetera, se los guardó en el abrigo y poniéndoselo sobre los hombros lanzó una última mirada triunfal a su alrededor antes de irse.

—Adiós, idiotas —saludó. Luego tarareando para sí mismo se dirigió hacia la entrada. Estaba a punto de recoger el paquete tan esperado cuando se enfrentó a la inesperada aparición de Reg.

Se detuvo, maldiciendo en voz baja, luego recuperándose, adoptó un enfoque cordial. —Ah, justo el hombre que estaba buscando. Esa es la entrega de la señorita Julie, ya veo. Bien, excelente, me ocuparé de ello.

Al extender la mano para recogerlo, Reg se lo impidió y tomó una posición defensiva, bloqueando sus intentos de recuperarlo. —Disculpe, señor, pero la señorita Julie me dio instrucciones explícitas para que lo guardara hasta que ella llegara.

Morris respiró con dificultad. —Instrucciones explícitas, ¿de verdad?

—Sí, señor, esas fueron sus palabras —respondió Reg con firmeza, esperando que eso impidiera que el otro examinara el paquete demasiado de cerca.

Morris pensó con furia. —Bueno, ella ha hablado conmigo por teléfono hace solo unos minutos y me ha pedido que se lo llevara de camino. Así que, fuera de mi camino, hombre; tengo que ir a una reunión importante y no me va a dar tiempo.

—Oh, bueno, entonces está bien.

Mientras Reg se permitió vacilar, Morris aprovechó la oportunidad para apartarlo de un codazo y agarrar el paquete, echándole solo una mirada por encima mientras se dirigía hacia la puerta.

—Yo asumiré toda la responsabilidad —gritó con impaciencia por encima del hombro.

—Haz eso —se dijo Reg—, y te hará mucho bien. Ahora veamos qué ha logrado averiguar Patience.

—No lo vas a creer —le saludó con entusiasmo —. Ven y escucha.

Una vez rebobinó la grabación en el móvil, captaron las palabras iniciales —¿Eres tú, Simone? Sí, Charles, tu amante... —cuando fueron interrumpidos por unos golpes furiosos en la puerta de la tienda de abajo. Se miraron el uno al otro haciendo terribles conjeturas.

Reg fue el primero en hablar: —No me digas que lo ha descubierto —hizo un gesto con la mano señalando el móvil—. Apaga esa cosa mientras yo voy a ver.

Corriendo hacia la entrada, comenzó a tirar del cerrojo, pero antes de que llegara a abrir la puerta, esta se abrió y Julie cayó dentro.

—¿Qué es esto de cerrar con llave a esta hora del día? ¿Han entrado a robar o algo así?

—No, señorita —se disculpó—. Lo siento, pero es que han pasado muchas cosas mientras no estaba en la oficina.

Julie permitió que la acompañaran, con aire desconcertado. —No lo entiendo, Charles ha pasado a mi lado hace un momento con tanta prisa que ni siquiera me ha saludado.

—Creo que será mejor que entre y se entere de todo, señorita —dijo Reg con tacto, sin saber muy bien cómo dar la noticia.

Cuando regresaron a la oficina, Reg se encogió de hombros ante Patience con impotencia y sacó una silla. —Creo que debería sentarse señorita, un minuto; esto puede resultar un poco impactante.

Julie lo miró con asombro y obedeció, sentándose abruptamente. —¿De qué se trata todo esto?

Reg exhaló un suspiro e hizo un gesto con la cabeza a Patience para que activara la grabación.

Hubo un ruido de balbuceo y de repente la voz comenzó con una sacudida y Julie hizo una mueca de dolor ante la revelación sobre el episodio del hotel. —Oh Jyp, qué tonta he sido —y rompió a llorar. Al hacerlo, se perdió por completo algunas de las siguientes palabras cuando empezaban a profundizar en las consecuencias—. No puede ser —se dirigió a Reg—. ¿Qué quiere decir con que se deshizo de él? No puede referirse a Jyp.

Reg asintió con tristeza y admitió: —Hay muchas cosas que Jyp no te dijo porque —vaciló—, pensó que te resultaría difícil de creer.

—Sigue —ella se secó los ojos y se recostó, lista para escuchar lo peor.

—Bueno —él ordenó sus pensamientos, preguntándose cómo expresarlo con palabras—, él descubrió que Morris no nos estaba diciendo la verdad sobre sus antecedentes.

—Lo sé —interrumpió Julie entre lágrimas—, eso es lo que estaba tratando de decirme y no le creí.

Decidiendo que era hora de ser sincero, Reg respiró hondo y se lanzó —Él le pasó toda la información sobre Morris a su tía, incluida una foto que habíamos hecho alrededor de la mesa, que ella quería para poder identificarlo y cuando se dio cuenta de lo que habíamos hecho, me dio una pa-

liza en el camino para que pudiera recuperarla. —
Esperó mientras Julie se secaba los ojos de nuevo—.
Parece que la tía de Jyp estuvo en el mismo juego
que nosotros antes de jubilarse —explicó.

—Eso no lo sabía —Julie se incorporó, repentinamente interesada.

—Sí, nosotros tampoco lo sabíamos —convino
Reg—. De todos modos, con la foto y todo eso, ella
descubrió que él era conocido por ser un mujeriego
y porque tenía un don con ellas, no sé si sabes a lo
que me refiero.

—Sí, lo sé exactamente —dijo Julie con pesar.

—Parece que Jyp encontró una muestra de su
escritura que esperaba coincidiera con una nota que
había escrito para chantajear a Grimshaw.

—¿Y coincidía?

—Todavía no lo sabemos, eso es lo que Jyp estaba esperando demostrar.

Julie soltó un lamento desesperado —¿Por qué
no nos lo dijo?

Reg parecía incómodo. —Cuando se enteró de
que habías ganado todo ese dinero, se dio cuenta de
que era solo cuestión de tiempo que Morris... se
apoderara de ese paquete tuyo y se llevara el premio
gordo y decidió hacer algo al respecto. Al menos hemos... —estaba a punto de añadir «nos las hemos
arreglado para resolver ese problema», cuando Julie
intervino.

—No te preocupes por el paquete, ¿qué ha hecho? —interrumpió ella—. ¿Y qué quiso decir Morris con «cayó directo a ello»?

Reg dijo simplemente —Jyp decidió no esperar. Por eso se arriesgó y siguió con esa misión, con la esperanza de que dejara fuera de combate a Morris.

Julie cerró los ojos. —Oh, Dios mío—. Echando la mirada hacia atrás sobre los acontecimientos, admitió tristemente —Parece que he sido una completa idiota. —Luego, siendo consciente de las aterradoras posibilidades, lo agarró del brazo— ¿A dónde ha ido? Te lo habrá dicho.

Reg registró sus bolsillos. —Sí, señorita, lo tengo aquí en alguna parte. ¿Qué he hecho con ello?

—Seguro que te acuerdas. ¿Cuál fue la dirección que te dio?

Rebuscando más abajo, Reg empezó a preocuparse. —Creo que tenía algo que ver con árboles.

—¿Era un roble?

—No, algo diferente.

—¿Era un fresno o era un olmo?

—No, sigue intentándolo.

—¿Sicomoro, abedul?

—No del todo, se me ocurrirá en un minuto.

Perdiendo la paciencia, Julie insistió —No podemos esperar. Por el amor de Dios, dame tu abrigo. Yo lo encontraré.

Reg se lo entregó y Julie después de una rápida

inspección tomó el mando. —Nada por aquí. ¿Y en el bolsillo de la camisa? No, ¿y en tus pantalones? Venga, quítatelos.

—Tranquila, señorita, que hay damas delante. Mientras él obedecía de mala gana, Patience lo miró fijamente, sus ojos se abrieron de par en par ante lo que estaba pasando.

—No, tampoco hay nada ahí.

Cruzando las manos por delante, Reg parecía tímido. —¿Puedo recuperar mis cosas ahora?

—No te preocupes por tu ropa, ¿dónde está esa dirección?

—Señorita, por favor, señorita, me estoy enfriando.

Pero no a todo el mundo parecía importarle. Patience se deleitaba con el espectáculo y se empapaba de él, como si lo viera por primera vez. —Oh, Reg, eres tan guapo.

Ante sus palabras, miró hacia arriba esperanzado. —¿De verdad lo crees?

—Mmm. Ella le pasó las manos por el pecho con amor. —Nunca te había visto así antes. Pareces tan diferente con la ropa puesta.

—¿De verdad?

—Oh, sí —suspiró romántica—. ¿Por qué no me lo has dicho?

—No sabía que realmente te importaba.

—Eres tonto, por supuesto que sí. Sabía que eras el único, desde la primera vez que te vi.

Reg contuvo el aliento. —¿En serio?

—Oh, sí, los demás no significaron nada.

—¿Ni siquiera mi compañero, Jyp?

—Qué tonto, él era nuestro padrino.

—¿Eso significa que crees que podrías alguna vez...

—¿Casarme contigo? Oh, Reg querido, pensé que nunca lo preguntarías.

—¡Oh! ¡Qué felicidad! —tomando el toro por los cuernos, la abrazó con el agarre que tantas veces había demostrado a sus clientes golfistas.

Satisfecha como estaba de que otro problema romántico de su lista se resolviera para satisfacción de todos los involucrados, Julie hizo todo lo posible para traerlos de vuelta a la realidad.

—Eso está muy bien, pero ¿qué hay de esa dirección?

—Oh, lo siento, señorita, lo olvidé. —Lanzó una mirada amorosa a su prometida—. Déjeme pensar.

—¿Qué hiciste después de que te lo diera?

—Bueno, fui a abrir la puerta para recibir esa entrega...

—Eso no importa, ¿qué pasó después?

—Lo bajé mientras decidía qué hacer con él y sí, ahora lo recuerdo. Él se estaba interponiendo, así que, así es, lo metí en el bolsillo de uno de los modelos de golf mientras me ocupaba del paque...

Pero Julie no esperó más. Había escuchado suficiente. Como un destello, cruzó la puerta y bajó las escaleras, de dos en dos, ansiosa por poner sus manos en la dirección que no encontraban. Rebuscando en los bolsillos, cogió una tira de papel y volvió corriendo, agitándola triunfalmente frente a ella.

—¡Lo tengo!

Alisando el papel, lo examinó con desconcierto. —¿Qué es esto? ¿El 91 de la Avenida Arcadia? ¿Pensé que habías dicho que tenía algo que ver con árboles?

—Bueno, sabía que tenía algo que ver con una especie de refugio rústico, así que pensé que debían ser árboles.

—¡Qué idiota! —gritó Julie—. No importa, lo tenemos. ¿Estás seguro de que es esta?

Reg parecía avergonzado. —Sí, ahora lo recuerdo. Señorita, ¿puedo recuperar mis cosas ahora?

Julie estaba a punto de responder cuando alguien llamó furiosamente a la puerta de abajo. Sin pensarlo, dijo automáticamente —Responde tú, Reg, mientras pienso.

Al ver su vergüenza, Patience se compadeció. —No te preocupes, voy yo. Tú vístete, amor.

Mientras esperaba y sus pensamientos daban vueltas locamente en su cabeza, Julie chasqueó los dedos y descolgando el teléfono, pidió un taxi.

Después de un rápido intercambio de conversación abajo, la figura despeinada de la tía de Jyp apareció jadeando por el esfuerzo de subir las escaleras, seguida de cerca por Reg.

—La tía de Jyp, señorita —jadeó—. No creo que hayan coincidido. Le estaba explicando…

—No importa la explicación —ordenó la tía Cis, interrumpiéndole—. No hay tiempo para eso. Supongo que tú eres Julie.

—Encantada de conocerla —dijo Julie a su vez—. ¿Te lo ha dicho Reg?

—Sí, ¿tienes la dirección?

Infectada por la urgencia, Julie asintió —He pedido un taxi.

—Bien, entonces podemos esperar el taxi abajo. Te lo explicaré todo por el camino.

Mientras recogían sus abrigos y se dirigían a la puerta, Reg gritó —¡Eh, espérenme!

Yo también voy.

Julie se volvió y gesticuló con impaciencia. —Vamos, muévete.

—¡Pero no estoy vestido!

—No importa, puedes hacerlo en el taxi. Vamos.

14

NO VEO ÁRBOLES

—Entonces, ya ves; Jyp tuvo la razón todo el tiempo —terminó la tía Cis con reproche mientras se acomodaban—. Resultó que Morris y «C» eran el mismo hombre. Estaba chantajeando a Grimshaw por su turbio pasado, nada que ver con el espionaje, era solo un estafador, consiguiendo todo lo que podía.

—Y yo me enamoré de él —confesó Julie con tristeza.

—Y encima de todos sus amoríos, resultó estar casado, como sospechó Jyp cuando vio la marca de un anillo en su dedo.

—Y yo no le creí. Oh, Jyp, amor, qué tonta he sido.

—No importa —la consoló la tía Cis—. No creo que fueras la única.

Habiendo emitido su juicio, se movió para ponerse más cómoda. —Muevan el culo, amigos —reclamó—. Estamos un poco espachurrados.

—Sí —dijo Julie, tratando de enderezarse—. ¿Te importaría quitar el codo, Reg, querido?

—Perdón, señorita. Estoy tratando de ponerme la camisa.

Después de mucho jadeo, se escuchó una voz ahogada —Acaba de ponérmelo encima de la cabeza, joven —se quejó la tía Cis desde abajo—. Y cuidado con mi pelo, si no te importa. No es que tenga mucho, pero prefiero aferrarme a lo que me queda.

—Lo siento, ¿así está mejor?

—Bueno, lo sería si pudieras ayudarme a sacar mi pie de tus pantalones.

—Pensé que era divertido verlo ahí abajo. Lo siento, tía Cis.

—No importa, joven, ha estado en lugares más divertidos en su época. Mientras estamos en ello, ¿alguien le dice al taxista adónde vamos?

—Sí, ¿dónde está la dirección? —exclamó Julie con ansiedad—. Debería tenerla en alguna parte. ¡Oh, aquí está! —Se inclinó hacia adelante y empujó hacia atrás el cristal de separación— Al 91 de la Avenida Arcadia, por favor.

—Vaya, tienen suerte —comentó alegremente el

taxista—. Allí abajo es un infierno, hay polis por todos lados.

—¿La policía? —la tía Cis se inclinó hacia delante, alerta—. ¿Y eso por qué?

—Supongo que una especie de pánico. Con todos estos terroristas merodeando actualmente, nunca se sabe qué podemos esperar.

Al acercarse a la avenida, Julie se inclinó hacia delante y leyó la señal de tráfico. —Parece que es aquí —dijo a los demás, sin perder de vista los números mientras pasaban por las hileras ordenadas de casas. Luego, con una indirecta hacia Reg, notando la ausencia de cualquier signo de arbustos a lo largo del frente, no pudo evitar agregar —No veo árboles—. Al hacerlo, siguió la tradición establecida por Horatio Nelson, quien hizo la vista gorda a sus órdenes de retirarse en la Batalla de Copenhague, con las palabras «No veo barcos». Pero Julie tenía una misión diferente, igualmente determinada a tener éxito en descubrir lo que le había sucedido a Jyp.

Todavía tratando de vestirse en el poco espacio que había disponible, mientras se desenredaba de su ropa interior, Reg parecía mortificado. —No pude evitarlo, señorita. Solo estaba pensando en un refugio acogedor. En algún lugar agradable y tranquilo para vivir, con Patience.

Sintiéndose un poco culpable por el tono de reproche de su voz, Julie se disculpó —Lo entiendo. Estoy segura de que encontrarán lo que buscan cuando esto termine.

Pero a medida que la carretera mostraba cada vez más signos de desorden, con ladrillos y trozos de mortero esparcidos por la carretera, los pensamientos de Julie se centraron en problemas más inmediatos.

—¿Qué pasa, taxista?

—Parece que nos dirigimos directamente hacia el embrollo, cariño —respondió el conductor, reduciendo la velocidad. Su evaluación resultó ser precisa cuando divisaron una advertencia de peligro más adelante y un policía dirigiendo el tráfico.

—¡Tenga cuidado! —advirtió la tía Cis—. Parece que la carretera está bloqueada.

—Caramba, tiene razón, señora, esta es la Avenida Arcadia sí, o lo que queda de ella —sacó la cabeza por la ventana—. ¿Qué pasa amigo?

Un rostro severo apareció en la ventana. Sus esperanzas se desvanecieron. Era su antiguo enemigo, el Inspector Clamidia. Haciéndoles señas para que bajaran, su voz adquirió una nota dominante mientras se envanecía de manera importante —Me temo que este camino está cerrado, señora.

El taxista cerró los ojos expresivamente. —Puedo ver eso amigo, ¿cómo podemos pasar?

—No use ese tono de voz conmigo, no soy su

amigo —bufó el inspector; su apariencia normalmente cuidada se había echado a perder por un uniforme algo arrugado y una mancha de lo que parecía polvo de carbón en la cara. Colocándose las gafas que le colgaban ligeramente torcidas, miró más de cerca a los ocupantes—. Ah, Señorita Diamond, no me he dado cuenta de que era usted. Lamento que esta carretera esté cerrada hasta nuevo aviso.

Julie se inclinó hacia delante, preocupada. —¿Por qué?, ¿qué pasa inspector?

—Me temo que no tengo permiso para decirlo —su voz adquirió un aire pomposo—. Basta decir que he recibido órdenes estrictas de desviar el tráfico de esta zona cercana.

Julie intentó un acercamiento empático. —Debe ser algo serio, parece como si usted hubiera estado en medio de ello.

—Ah, gracias, señorita. Todos hemos tenido que llevar nuestra cruz. Está bastante complicado ahí delante. Todavía hay un montón de cosas desagradables por ahí.

—Y todos sabemos lo que es —murmuró la tía Cis al fondo.

Poniéndose rígido, el inspector miró a su compañera. —Ah, Señora Green, podría haber adivinado que aparecería en algún lugar.

Ignorando su comentario, Julie lo aplacó en un

esfuerzo por averiguar más. —Estoy segura de que debe estar haciendo todo lo posible en una situación difícil inspector, pero ¿no puede decirnos qué ha pasado?

Inflexible, el inspector miró por encima del hombro y bajó la voz —Todo lo que puedo decirle, señorita, es que ha habido una especie de... ejem... explosión en uno de los locales a lo largo de la carretera y una o dos víctimas.

—¿Víctimas? —la palabra se atascó en la garganta de Julie—, ¿qué tipo de víctimas?

El inspector dio un paso atrás ante la fuerza de su pregunta. —Eso no tengo permiso para decírselo, señorita.

—Quieres decir que no lo sabes —fue el veredicto fulminante de la tía Cis.

Molesto, el inspector se enderezó las gafas y dijo de mala gana —Todo lo que puedo decir, señorita, es que los médicos han estado presentes y los heridos han sido trasladados al hospital rural.

—¿Cómo llegamos allí? —al ver la indecisión en el rostro del inspector, Julie añadió rápidamente— Es urgente, creemos que nuestro amigo puede estar involucrado.

Recordando su posición, el inspector respondió impasible —Lo siento, no puedo ayudarles con eso. Si vuelve sobre su ruta de regreso a la carretera principal señorita, estoy seguro de que alguien podrá orientarla.

Cansado de escuchar los intercambios, el taxista se asomó. —¿De qué estás hablando, amigo? Esta carretera es la forma más rápida de llegar. Caramba, si es sólo el otro extremo de la calle.

Irritado, el inspector se irguió. —Es suficiente. Otra impertinencia suya joven, e informaré a las autoridades correspondientes. ¿Cuál es su número?

El taxista dio un bufido.

—¿Qué ha dicho?

Para desviar su atención, la tía Cis se inclinó hacia delante confidencialmente —Una palabra al oído, Inspector *Gruñón*.

—Clamidia, si no le importa, señora. El inspector se puso rígido, ofendido.

—Clamidia, entonces. Escuche, esto no debe ir más allá... máxima seguridad.

El inspector se incorporó levemente. —¿Seguridad? ¿Debería saber algo de esto? ¿Por qué nadie me lo ha dicho?

La tía Cis guiñó un ojo a los demás y respondió suavemente —Esto es solo para sus oídos, ¿lo entiende?

—Eh... ejem... —la miró con recelo—. ¿Qué es lo que desea decirme, señora Green?

—Es todo secreto. Una de nuestras personas de seguridad estuvo allí de visita esta tarde y todavía no se ha puesto en contacto de nuevo. Tenemos que hablar con él lo antes posible.

Mordiéndose el labio y tratando de compararla con su propia idea de cómo debería ser un oficial de seguridad, el inspector hizo girar su bigote inexistente con desaprobación. —¿Está intentando decirme que es usted una especie de "fantasma"? Creo que es así como les gusta llamarse a sí mismos en el medio televisivo actualmente. Todo ese merodeo entre bastidores, no lo que yo llamaría la forma británica de hacer las cosas —resopló—. Disciplina y orden: eso es lo que hizo que el Imperio Británico sea lo que es hoy —la miró con severidad—. ¿Puedo ver su autoridad para corroborar tal afirmación?

Con un destello de inspiración, la tía Cis sacó un viejo pase de seguridad estropeado que había visto mejores días, teniendo cuidado de tapar la esquina de la tarjeta que mostraba una fecha.

Los ojos del inspector se abrieron con una incredulidad casi cómica. —Bendita sea mi alma, ¿qué es esto?

Al ver la firma, se enderezó, juntó los talones con un saludo militar y se la devolvió con reverencia, casi cayéndose en el proceso. —¿Por qué no lo dijo desde el principio, señora? Todos tratamos de aportar nuestro granito de arena, por así decirlo, en nombre del Rey y el País... Quiero decir a la Reina, por supuesto. —Se apartó y gritó— Agente, dondequiera que esté, rápido. Donde diablos está este hombre, justo cuando lo necesito. Oh, aquí está.

Al no oír de dónde venía la voz, el jinete aceleró y lo golpeó por detrás. —¿Sí, señor?

—No en mi espalda, maldita sea —el nervioso inspector enderezó las gafas que se le habían resbalado y atascado en el pecho—. Mira por dónde vas, idiota.

—Perdón, señor. Su casco, señor.

Apretándoselo de vuelta en la cabeza calva, el inspector se aclaró la garganta —Acompañe a este grupo al hospital rural de inmediato. No, por ahí no; por la Avenida Arcadia.

—Pero usted dijo...

—No importa lo que dijera, esto es una emergencia.

—Claro, usted es el jefe; por supuesto señor.

Reuniéndose con los demás, el inspector saludó con deferencia —Mi agente la acompañará a salvo hasta su destino, señora. —Dando un paso atrás, saludó de nuevo— No creo que nos encuentre faltando a nuestro deber cuando llegue el momento, señora —metió la cabeza por la ventana y casi se le enreda la corbata mientras se alejaban—. En caso de que lo olvide, mi nombre es Clamidia, señora.

Sentada hacia atrás con un suspiro de alivio, la tía Cis comentó —Pretencioso imbécil, como si nos fuéramos a olvidar.

—Bueno, al menos ha funcionado —se rio Julie, olvidándose por un momento sus preocupaciones —. ¿Cómo lo has conseguido?

—Oh, simplemente le he enseñado mi antiguo pase, lo bueno es que no lo miró demasiado de cerca.

—¿Y eso por qué?

—Porque está caducado —se carcajeó—. Debería haberlo entregado hace años. Oh, Dios mío — se puso seria, cuando el coche empezó a pasar por encima de unos escombros—, esto empieza a parecerse a un campo de batalla.

—Dios mío, ¡miren eso!

El jinete que iba delante comenzó a reducir la velocidad, les hizo señas para que fueran más despacio y todos estiraron la cabeza al pasar por delante de lo que quedaba de la siguiente casa de la calle, observando lo que quedaba de las ventanas ennegrecidas y el vacío donde había estado la puerta principal.

—Rayos, ese debería ser el número 91 —murmuró Reg, haciendo un rápido cálculo.

—¡No! —Julie, con el corazón en un puño, asimilaba el significado de los comentarios de Morris.

—¡Esto es lo que quiso decir cuando dijo que Jyp se dirigió directamente a ello! —se lanzó hacia adelante y golpeó la ventana de enfrente—. ¿No podemos ir más rápido?

El taxista se sintió agraviado. —Déjelo, señora. No puedo ir más rápido. Es el poli de delante quien nos sujeta. Si no fuera por él, ya estaríamos allí.

—Tranquila —advirtió tía Cis con simpatía—. No tardaremos mucho ya, dijeron que está justo al final de la carretera.

—Usted no lo entiende. ¡Nunca me perdonaré si le ha pasado algo! —exclamó Julie entre lágrimas.

Luego pasaron y en el claro la carretera que tenían delante estaba vacía de nuevo.

—Ya estamos, señora —anunció repentinamente el taxista cuando entraron en el aparcamiento frente a la entrada, uniéndose a una cola detrás de una fila de ambulancias. Antes de que empezaran a reducir la velocidad, Julie ya estaba con la mano en la manija de la puerta, impaciente por salir.

—¡Espere un minuto, señora! —advirtió el taxista, pero Julie no podía esperar. En un instante, saltó afuera y corrió hacia la entrada.

—Eh, espérame —gritó la tía Cis, que ya trataba de salir del asiento trasero.

El taxista miró por encima del hombro. —Algunas personas no pueden esperar ni un minuto. Voy a echarle una mano.

—Usted no lo entiende —gimió la tía Cis, exasperada desde atrás—. Este imbécil ha atado juntos los cordones de nuestros zapatos. ¡No puedo moverme!

—Lo siento, tía Cis, estaba tratando de ponerme los calcetines, me preguntaba por qué mis pies parecían tan pequeños.

—Caray —dijo el taxista con un suspiro—. Me he encontrado con algunos casos extraños, pero es la primera vez que alguien se queda atascado en mi taxi; por lo general no pueden salir lo suficientemente rápido cuando ven la factura.

—No te preocupes por la tarifa, yo me ocuparé de eso —se inquietó la tía Cis—. Sácame de aquí, así podré alcanzar a Julie.

Pero Julie no estaba de humor para esperar a nadie. Pasó a toda velocidad por delante de la recepción antes de que el empleado de guardia tuviera tiempo de dejar el periódico y en un instante, desapareció por el pasillo. Al ver el cartel de "Accidentes y emergencias", Julie viró a la izquierda y se detuvo jadeando junto al mostrador de consultas —¿Dónde está la sala de urgencias?

Antes de que el empleado tuviera tiempo de responder, gritó con impaciencia —Urgencias, ¿dónde está?

—¿Qué nombre? —preguntó la enfermera sin prisa, consultando su lista.

—Jyp, quiero decir Jefferson... ejem... Patbottom —dijo Julie apresuradamente.

—No veo su nombre aquí. ¿Cuándo ingresó?

—Oh, por el amor de Dios, no lo sé… en algún momento de esta mañana, creo… ¿eso qué importa?

—Bueno, a menos que tenga sus datos… —empezó la enfermera con desaprobación, y luego, al ver la expresión del rostro de Julie, la modificó con dulzura—, ¿qué es lo que le pasaba?

Recordando la reciente y desgarradora imagen del edificio destrozado y el hueco en la entrada, Julie espetó —Hubo una explosión en la Avenida Arcadia… —y agregó con temor— Me dijeron que trajeron a algunos de los heridos aquí.

Un destello de simpatía apareció en el rostro de la enfermera. —Oh, esos —dijo ella con cautela—. Espere aquí y le preguntaré a la enfermera jefa.

Mordiéndose los labios, Julie se paseaba arriba y abajo esperando con aprensión. Entonces apareció la enfermera jefa seguida por la enfermera.

—¿Señorita Diamond?

—Sí —respondió Julie automáticamente.

—Sígame, por favor.

Siguiendo su ritmo rápido, Julie se preguntó cómo lo había sabido.

Sin dar explicaciones, la enfermera jefa llegó a un cubículo y comprobando su lista, apartó la cortina y dejó al descubierto una figura momificada tendida con las extremidades extendidas, cubierta de pies a cabeza con vendas.

—Le dejaré con él. Trate de no perturbarle demasiado. Con un enérgico asentimiento de misión cumplida, cerró la cortina tras de Julie y se fue.

Julie echó un vistazo a la figura y se arrojó sobre ella sollozando.

—Oh, Jyp, cariño, ¿qué te han hecho?

A su contacto, un ojo se abrió lentamente con asombro y se escuchó una voz ronca —¿Estoy soñando? Debo estar en el cielo, puedo escuchar a un ángel llamando. ¡Aleluya!

Concentrándose en la voz desconocida, Julie se incorporó de un tirón. —¡Tú no eres Jyp! ¿Quién eres tú?

Recitando como en un desfile, la figura respondió automáticamente —El cartero Percy Smith señora, a su servicio, entrega garantizada... excepto esta última, no estoy seguro de lo que pasó allí.

Pero Julie ya había oído suficiente. Se puso de pie y chocó con la enfermera que estaba afuera, revisando su lista. —Perdón, señorita. No estoy muy segura de cómo ocurrió esto. Déjeme ver, aparte de estas botas viejas que encontraron —levantó un par que hizo que el corazón de Julie se contrajera— Ah, aquí está, no se lo diga a la enfermera jefa. Debe ser el otro paciente de la siguiente fila el que usted busca. Es un caballero encantador, pero siempre me dice el número de cama equivocado; cualquiera pensaría que no sabe contar.

—¿No sabe contar? —repitió Julie con creciente esperanza—. ¿Dónde está?

—La llevaré con él, prométame que no se lo dirá a la enfermera jefa, sería mi fin.

—No, no, por supuesto que no. Lléveme con él.

—Dios la bendiga, señorita. Está aquí mismo. Ahí lo tiene.

Levantando la cortina, exclamó —Lo sabía, qué travieso, era el número 16 y me dijiste el 91. ¿Ve a qué me refiero, señorita? —Corriendo la cortina, reveló el rostro sorprendido de Jyp, medio escondido detrás de un vendaje envuelto alrededor de su cabeza.

—Jyp —sollozó tirándose a la cama y acunando su cabeza entre sus brazos.

—¡Qué está pasando! —su mirada desconcertada la acogió—. Debo estar soñando.

—Eso es lo que dijo el cartero —dijo Julie mirándolo con ternura—. No, soy yo y no me importa lo que digas. Estoy aquí para quedarme, te guste o no. ¿Me perdonarás alguna vez por decir todas esas cosas horribles sobre ti?

—Por supuesto —respondió él contento, acercándola más—. ¿Qué te ha hecho cambiar de opinión?

—Volvía para decirte que de todos modos no importaba y luego el querido Reg logró grabar esas horribles llamadas telefónicas de Morris que le hizo a esa horrible traidora, Simone y cómo planeaba deshacerse de ti y estuvo a punto de hacerlo. Oh, ¿por qué lo aceptaste? Dios santo, podría haberte perdido; no puedo soportar pensar en ello.

—Buen hombre, Reg lo logró, ¿verdad? Era la única forma en que podía hacer que revelara su verdadera naturaleza —explicó Jyp con seriedad.

—Podía haberte matado —gimió Julie, acariciando su rostro.

—Valió la pena, solo para mostrarte qué estaba tramando.

—Bueno, nunca volverá a tener la oportunidad y de todos modos se ha largado, eso me ha dicho Reg.

—Hasta nunca.

—Y se ha llevado todas mis riquezas mundanas con él. ¿Podrás soportarlo, cariño? —Jyp se hundió hacia atrás con un suspiro de alivio—. Entonces, todo está bien. Ahora, si tan sólo pudiera arrodillarme.

—No se te ocurra moverte —ella lo empujó de nuevo contra la cama—. ¿Qué es lo que quieres hacer?

—Sólo proponerte matrimonio, Julie. Mira, justo antes de que llegaras aquí...

—¡Sí quiero! —lo interrumpió ella—. ¡Sí quiero!

—Dame un minuto, amor. Como estaba diciendo, justo antes de que llegaras aquí, la oficina central decidió nombrarme nuevo gerente, así que por fin tengo algo que ofrecerte.

—¿No has oído lo que te estaba diciendo, idiota? No me importa qué trabajo te den, solo te deseo a ti, para el resto de mi vida. ¿Te parece lo suficientemente bueno?

—A mí me suena bastante bien. Vamos, díselo, Jyp. Date prisa, porque tengo noticias para ti —gritó la tía Cis mientras entraba cojeando, seguida de Reg y luego de Patience que llevaba un paquete.

Jyp parecía tímido, consciente de su nuevo público. —Si me aceptas, sí.

En un grito de alegría, Julie se acurrucó en sus brazos, mirándolo con adoración. —Y no me importa si ese hombre me ha robado todas mis cosas; iba a regalarlas de todos modos. Todo lo que siempre quise eras tú.

—Espera, jovencita —anunció alegremente la tía Cis—. Yo esperaría hasta que hubiera escuchado primero lo que el joven Reg tiene que decir.

Reg dio un paso adelante con modestia. —Esto era lo que estaba tratando de decirle, señorita Julie, cuando se marchaba corriendo. Me las arreglé para esconderlo antes de que pudiera poner sus manos sobre él. Enséñaselo, amor.

Al ver el contenido, Julie contuvo el aliento. —Después de todo, no se lo llevó consigo.

Ella miró a su alrededor desconcertada. —Pero ¿qué se llevó?

Reg trató de mantener la cara seria. —Era un juego de presentación de pelotas de golf que encontré en la tienda —y se unió a la risa general.

Asomando la cabeza para averiguar qué era todo ese ruido, la enfermera jefa tosió intencionadamente —Creo que el paciente se está excitando demasiado, si no les importa. Solo dos visitantes por cama, las reglas son las reglas. Eso hacen tres personas en total —añadió en beneficio de Jyp.

Después de que ella se fuera y la tía Cis captara la indirecta y sacara a Reg de allí, Julie dio unas palmaditas en la cama para que Patience se uniera a ella. —Creo que he encontrado justo lo que necesitas para tu regalo de bodas, querida —y hurgando en el paquete sacó un pequeño collar de un diseño exquisito.

Patience se quedó sin aliento —¿Para mí?

Julie le pasó un brazo cariñosamente por el hombro. —Si no fuera por ti y por Reg, querida, nunca me habría dado cuenta de la suerte que tuvimos los dos al encontrar lo que realmente queríamos en la vida. Y ahora depende de Jyp decidir qué quiere hacer, si acepta esta nueva oferta o... —ella miró pensativa en la distancia—. Me pregunto qué piensan de todo esto en el Whitehall, ahora que otro de sus gerentes de confianza los ha defraudado.

15

NUNCA COMETEMOS ERRORES

Si hubiera podido presenciar el efecto que estaba teniendo en el Whitehall en ese momento, se habría sentido tranquilizada por la inigualable capacidad de nuestros funcionarios para afrontar las noticias más espantosas con la mayor calma y ecuanimidad.

—Oye Binky, viejo amigo, ¿qué opinas de la última? Un desastre, ¿no?

—Sí, es la segunda vez en esta semana que no me han entregado el periódico. ¿A dónde vamos a llegar?

—Lo sé, pésimo espectáculo. Me refiero a qué vamos a hacer con ese tipo, Morris. Parece que hemos hecho de idiotas con ese tema, ¿no?

—Mi querido amigo, siempre debes recordar que en la Administración Pública nunca cometemos errores. Confiamos en lo que hay disponible. No podemos hacernos responsables si no están a la altura de nuestras expectativas.

—No, no, por supuesto que no. Tienes toda la razón, viejo.

—Por supuesto, tenemos resbalones ocasionales, como no recibir nuestro periódico a tiempo.

—Lo sé, mal asunto.

—Pero, después de todo, logramos cumplir nuestros objetivos.

—Como crear un equipo de gestión sólido para cuidar de nuestra seguridad.

—Ejem... gracias por recordármelo, Trevor, viejo.

—De nada, Binky. Hombro con hombro, siempre juntos ¿o no?

—Sí, ¿cómo íbamos a saber que el viejo mayor Fanshaw estaba dispuesto a intercambiar secretos de estado para que le pagaran sus tarifas de golf? No somos clarividentes.

—O que la reputación de Grimshaw estaba siendo chantajeada por ese asunto del desliz en el gimnasio.

—Por supuesto que no. Aunque debo decir que me decepcionó el viejo Morris. Parecía tener muchas cosas a su favor.

—La mitad de las mujeres de Inglaterra, según todos los informes. Es una pena que no supiéramos nada de esa tal Simone. He oído que casi los detienen en Heathrow hasta que ella logró mostrar sus credenciales.

—Sí, vaya pareja, según lo que cuentan. Apuesto a que él no le dijo que ya estaba casado. Uno pensaría que el viejo Morris estaría agradecido por salirse con la suya, aunque he oído que parecía más preocupado de que fueran a confiscarle esas pelotas de golf que le encontraron. Por alguna razón, parecía que pensaba que tenían un valor incalculable.

—Quizá estaba deseando jugar con el viejo Fanshaw.

—No importa, al menos pudimos confiar en ese tal Jyp. Fue una elección brillante, Binky, si se me permite decirlo.

—Sí, incluso aunque fuera a esa divertida escuela de la que me hablaste... La escuela secundaria del Condado de Watlingon o algo así, ¿no?

—Bueno, supongo que todos tenemos que empezar en algún sitio. ¿Qué hacemos con él? Parece haber realizado un espectáculo muy bueno. Se las arregló para sacar al viejo Morris a pesar de que la joven Julie le había dado la espalda, eso es suficiente para desanimar a cualquiera.

—Sí, es un poco incómodo, ¿no? Le ofrecí el trabajo de hacerse cargo de aquello, pero después de todo lo que ha pasado, podría decidir que ha tenido suficiente. No le culparía, ¿verdad?

—Difícil, muy difícil. Por supuesto, podríamos proponerle para algún tipo de premio, por su valor extraordinario y su autosacrificio mucho más allá de la llamada del deber y toda esa mierda.

—Sí, ¿qué tal si nos vamos al piso de arriba, Binky, viejo? Ah, lo acabo de recordar, te propusimos para eso. Y ahora, ¿qué podemos decir? ¿Es bueno en algo de lo que podamos tirar? ¿Es un buen deportista o se le conoce por algo?

Su jefe parecía dudar —Tú estuviste hablando con él en aquel banquete en el hotel. ¿Te dio alguna pista que pudiéramos utilizar?

Trevor trató de recordar. —No demasiadas. Espera un momento, cuando estábamos hablando con Morris, dijo algo como si estuviera contando con su nuevo trabajo para sumar algo que valiera la pena.

Se miraron mutuamente pensativos. —¿Contando con su nuevo trabajo para sumar algo? Eso es. Por supuesto.

Binky sonrió con indulgencia. —Sabía que encontraríamos la respuesta, si nos lo proponíamos. Te encargarás de eso, ¿verdad, Trevor, viejo amigo?

—No te preocupes, considéralo hecho.

—Entonces, te veo en la ceremonia.

—No me lo perdería por nada del mundo.

～

Llegó el día del gran acontecimiento. El sol brillaba y cuando el coche alquilado se detuvo para llevarlos al Palacio de Buckingham, Julie se aseguró de que Jyp tuviera el mejor aspecto posible a pesar de que todavía llevaba un vendaje alrededor de la cabeza.

—¿Estás segura de que me veo bien? —preguntó tímidamente—. No sé por qué dije que sí, debía estar loco. Debe haber cientos de personas que deberían recibir un premio.

—Tonterías —dijo Julie con firmeza—. Se lo debes a tu familia y te lo mereces, después de todo lo que has pasado.

—Pero todo lo que hice fue hacer que ese tal Morris hiciera un agujero en la parte delantera de esa casa, lo que no es motivo para un premio. Reg debería recibir una medalla, no yo. Él fue quien logró grabar esa evidencia, no yo.

—Bueno, ahora es demasiado tarde para echarse para atrás. Piensa en todo el placer que les dará a nuestros hijos cuando crezcan.

—¿Estás segura de que lo dijiste en serio cuando aceptaste casarte conmigo, cariño? —preguntó Jyp con ansiedad.

—Por supuesto que lo hice, idiota. Eso sí —mientras el coche entraba en el patio—, aún podría cambiar de opinión si empiezas a discutir sobre el dinero de nuevo. Todavía puedo regalarlo todo.

—He dejado de preocuparme por eso —confesó Jyp—. Mientras me sigas teniendo.

—Idiota, ven aquí.

Al minuto siguiente, la puerta se abrió y el chófer tosió mientras se inclinaba para ayudarlos a salir. —Si se me permite sugerirlo, señor, tiene un poco de pintalabios... No, a la derecha. No queremos que Su Alteza vea eso, ¿verdad?

Tocándose suavemente la cara, Jyp deslizó un billete en la mano del chófer y se enderezó —No. Tiene toda la razón. —Volviéndose hacia Julie, gimió— Oh, mi sombrero, ahí está mi padre y ¿qué lleva puesto mamá?

Julie le cogió el brazo y se rio nerviosa. —No vayas y se lo eches a perder amor, es algo que recordarán el resto de su vida.

—Oh, bueno, aquí vamos.

Se unieron a una pequeña fila de parejas más adelante que estaban siendo conducidas hacia la entrada.

El resto de los procedimientos transcurrieron en una triste confusión, ya que se les indicó que se alinearan frente a una plataforma elevada, lo que implicó varios intentos de los acomodadores para que adoptara la posición correcta.

Cuando llegó su turno, Jyp dio un paso hacia adelante con nerviosismo e inclinó la cabeza. Mientras lo hacía, el asistente entonó —La Orden del Imperio Británico, por su destacado servicio en el ámbito de las matemáticas…

Su solemne anuncio fue interrumpido por un arrebato histérico de alguien al fondo de la galería.

La intervención pareció divertir a Su Alteza. —Hola, alguien parece un poco abrumado por todo esto. ¿Es amigo suyo?

Jyp asintió avergonzado con la cabeza. —Mi padre, Alteza.

Al hacer la presentación, Su Alteza sonrió. —Bueno, esto debería darle algo de qué hablar.

Querido lector,

Esperamos que hayas disfrutado leyendo *El espía que no sabía contar*. Tómese un momento para dejar una reseña, incluso si es breve. Tu opinión es importante para nosotros.

Atentamente,

Michael N. Wilton y el equipo de Next Charter

SOBRE EL AUTOR

Después del Servicio Nacional en la Royal Air Force, Michael regresó a la banca, hasta que surgió la oportunidad de seguir una carrera como escritor. Después de trabajar como responsable de prensa para varias empresas de ingeniería eléctrica, se le pidió que creara una oficina de prensa central como responsable de prensa de grupo para una empresa de ingeniería. De allí pasó a ser director de publicidad de una empresa de vuelos chárter de helicópteros y ala fija, donde participó en la realización de una película sobre las actividades de la empresa en el país y en el extranjero.

Se interesó tanto en el rodaje que se unió a un socio para realizar películas técnicas durante varios años, antes de terminar su carrera manejando publicidad de investigación para una empresa nacional de transporte de gas.

Desde que se jubiló ha cumplido su sueño de convertirse en escritor y ha escrito dos libros para niños, así como varias comedias románticas.

El Espía Que No Sabía Contar
ISBN: 978-4-86747-687-1
Edición de Letra Grande en Tapa dura

Publicado por
Next Chapter
1-60-20 Minami-Otsuka
170-0005 Toshima-Ku, Tokyo
+818035793528

25 Mayo 2021

Lightning Source UK Ltd.
Milton Keynes UK
UKHW012044110621
385375UK00001B/56

9 784867 476871